L'ÉRABLIÈRE ET SA CABANE

LES QUATRE SAISONS

L'ÉRABLIÈRE ET SA CABANE

LES QUATRE SAISONS

ÉDITIONS DU TRÉCARRÉ

Conception graphique : Dufour & fille design inc.
Photographies : André Croteau, Michel Julien page 62, Coopérative Citadelle page 49
et GIN pages 13 (au centre à gauche), 22 (en bas à droite), 23 (en haut; centre à gauche),
27, 30, 31, 32, 39, et 40-41
Illustrations : Christine Dufour pages 8, 10-11, *Canadian Illustrated News* : page 14
L'Opinion publique : pages 17, 19

Révision linguistique : Monique Riendeau

ISBN 2-89249-171-1
Dépôt légal 1997
Bibliothèque nationale du Québec

Éditions du Trécarré
Saint-Laurent (Québec) Canada

IMPRIMÉ AU CANADA

À Henriette, qui tremblait comme une feuille
quand je l'ai conduite au pied de l'autel...

Première partie

HISTOIRE ET PRODUITS DE L'ÉRABLE À SUCRE

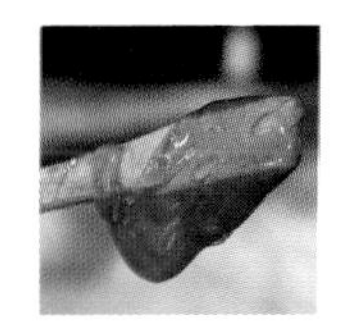

Introduction

L'ARBRE CONFISEUR

ARBRE confiseur, voilà le joli nom que nos cousins de France donnent aujourd'hui à notre érable à sucre, réparant, sans le savoir, une injustice d'ordre historique. En fait, cet arbre merveilleux les fascine autant, et avec raison, qu'il étonna nos ancêtres d'outre-Atlantique lorsqu'ils le découvrirent, en même temps que notre pays.

Mais l'érable à sucre est beaucoup plus qu'un « arbre confiseur ». Il est source de légendes et, à sa façon, apothicaire, alchimiste et paysagiste. De plus, ne fait-il pas le bonheur de bien des gastronomes?

Tout au long des saisons, il remporte, chez nous, la palme de premier agent de promotion touristique. N'est-ce pas lui qui mène le bal, au printemps, avec l'ouverture de nos cabanes à sucre? Qui protège la faune et nous accueille sous son ombre, l'été? Qui préside à la féerie des couleurs, l'automne? Et qui nous réchauffe de sa flamme, l'hiver?

Par ailleurs, comme il pousse presque exclusivement au Québec, l'érable à sucre s'impose comme symbole d'originalité et d'hospitalité de notre peuple. C'est, sans contredit, le plus important de tous nos arbres. Tous les Québécois ont pour lui une affection particulière et, chaque année, lui font honneur. En fait, on ne saurait imaginer le Québec sans lui.

ARBRE DE LÉGENDES !

Un arbre beau, grand et fort qui prodigue généreusement friandises, chaleur et guérison vaut bien qu'on le traite à l'égal d'un dieu. Par conséquent, la mythologie populaire n'a pas tardé à imaginer à son sujet mille légendes, dont le scénario de base est le même : un bon Amérindien découvre le secret de la fabrication du sirop ou du sucre d'érable et, dans le meilleur des cas, le révèle à l'homme blanc. En voici certaines, toutes aussi attachantes les unes que les autres.

UNE LÉGENDE MICMAQUE

Chez les Micmacs, ces autochtones de la baie des Chaleurs, on raconte que, par une journée de tôt printemps, alors que le vent était encore frisquet, une vieille femme micmaque ramassa de cette eau que donnent les érables et qu'elle en versa dans sa bouilloire, qu'elle plaça audessus de son feu de *teepee.* Elle savait, bien sûr, que cette eau goûte meilleur quand elle est chaude. Fatiguée, elle alla ensuite s'étendre afin de profiter d'un repos bien mérité. À son réveil, le soir était déjà là, et, dans son récipient, elle trouva un sirop doré, clair et sucré. Elle venait de découvrir le sirop d'érable.

UNE LÉGENDE ALGONQUINE

Chez les Algonquins, on rapporte qu'un jour, le chef retira son tomahawk – sa hache de guerre –, de l'érable sur lequel il l'avait lancé la veille et qu'alors que le soleil commençait à atteindre le zénith, de l'eau se mit à couler. Sa femme, qui avait remarqué cette chose, la goûta, la trouva bonne et l'utilisa pour la cuisson de sa viande, s'évitant ainsi un voyage jusqu'à la source. Le chef apprécia le goût sucré et le doux parfum de ce nouveau plat. Il appela *Sinzibuckwud*, mot algonquin qui signifie « tiré des arbres », le sirop dans lequel avait bouilli la viande.

UNE LÉGENDE IROQUOISE

Il y a fort longtemps, par un matin de printemps froid et piquant, un chef iroquois du nom de Woksis sortit de sa hutte. Puisqu'il devait aller à la chasse, il retira sa hachette de l'érable dans lequel il l'avait plantée la veille au soir. Comme on peut le supposer, la lame avait laissé une entaille profonde dans l'arbre, mais Woksis n'en fit aucun cas et partit chasser.

Pendant ce temps, un contenant en écorce de bouleau posé au pied de l'érable se remplissait peu à peu de cette eau qui s'écoulait de la fente. La femme de Woksis, croyant qu'il s'agissait d'une eau douce, s'en servit pour préparer un ragoût de gibier. Le soir venu, au souper, Woksis sourit et dit à sa femme : « Ce ragoût est délicieux, il a un goût sucré. » N'y comprenant rien, cette dernière trempa son doigt dans le plat qui avait mijoté tout l'après-midi. Woksis avait raison... le ragoût était sucré. On venait encore une fois de découvrir le sirop d'érable!

NOKOMIS, LA DÉESSE TERRE

D'après ce qu'on en dit, Nokomis, la déesse Terre, grand-mère de Manabush et héroïne de nombreuses légendes indiennes, aurait été la première à percer le tronc des érables et à en recueillir l'eau.

Mais un jour, Manabush, constatant que l'eau de l'arbre était, en fait, un sirop déjà prêt à manger, s'exclama : « Grand-mère, il n'est pas bon que les arbres produisent du sucre aussi facilement! Si les hommes peuvent en obtenir ainsi, sans effort, ils ne tarderont pas à devenir paresseux. Il faut tâcher de les faire travailler. »

Craignant que Nokomis ne l'écoute pas, Manabush grimpa au faîte d'un érable en tenant un vaisseau rempli de sirop d'érable et versa le contenu à l'intérieur de l'arbre. Le sucre s'est dissous dans les fibres de l'arbre et, depuis ce jour, on doit travailler dur pour se procurer le fameux sirop.

LA LÉGENDE D'AOUATA

Madame Lucille Desparois ou tante Lucille, de son nom de plume, a bercé mon enfance des plus jolies légendes que l'on puisse imaginer. Cette conteuse-née devait inévitablement en inventer une sur le sucre d'érable. La voici.

Au tout début de la colonisation de la Nouvelle-France – comme on appelait alors le Canada –, il y avait, parmi les colons, la famille Champagne composée du père, de la mère et d'un petit garçon prénommé Gilles, charmant mais de santé fragile.

Un jour que Gilles, âgé de huit ans, était allé dans les bois avec des colons, il crut entendre au loin les pleurs d'un enfant et alerta les adultes. Après quelques recherches, le petit groupe découvrit un enfant indien à demi mort, le dos transpercé d'une flèche. Quand il revint à lui, le garçon dit s'appeler

Aouata. Il affirmait avoir été chassé de sa tribu et tiré au dos par son chef parce qu'il avait refusé de voler les Blancs.

Les parents de Gilles soignèrent Aouata, qui guérit rapidement. Et comme ce dernier ne pouvait retourner dans son village, les parents de Gilles le prirent à leur service.

Cette année-là, l'hiver fut froid et sec, mais le printemps qui suivit apporta un cortège de pluies, de vents et de tempêtes. Le petit Gilles contracta alors un mauvais rhume qui l'obligea à se mettre au lit. La maman de Gilles voulut lui faire avaler comme remède une potion amère, mais l'enfant affaibli refusa de prendre une aussi mauvaise boisson, et son état empira.

Il aurait fallu adoucir le médicament en y ajoutant du sucre, mais, à cette époque, c'était une denrée rare. Le père de Gilles en chercha vainement, car il n'y en avait plus dans les réserves de la colonie. Et les bateaux d'approvisionnement n'arriveraient pas avant plusieurs semaines. La mère, voyant son enfant dépérir, pleurait, craignant qu'il ne perde la vie.

Aouata, ayant entendu les lamentations de la maman, s'approcha humblement et dit : « Je peux obtenir dans la forêt quelque chose qui aidera votre fils à prendre son remède. » Avec la permission de s'absenter, Aouata disparut dans la forêt, mais revint le lendemain avec un sucre rougeâtre qui avait fort bon goût.

Ajouté au remède, il ranima le faible enfant et le guérit en quelques jours.

Une fois remis, Gilles demanda à Aouata comment il s'était procuré ce merveilleux produit. « C'est la Fée des bois qui me l'a donné », répondit le petit Indien.

L'enfant reconnaissant voulut remercier la bonne fée et partit en forêt avec son compagnon. Après une longue marche, les deux gamins arrivèrent dans une clairière où se dressait une étrange petite cabane surmontée d'une espèce de chapeau d'où s'échappait de la vapeur. À l'intérieur, s'affairait une bande de lutins qui, sous la direction d'une belle dame drapée d'une robe en feuilles d'érable décorée de champignons aux couleurs vives, déversaient des quantités d'eau d'érable à un bout d'une immense bouilloire et puisaient du sirop à l'autre extrémité. D'autres lutins confectionnaient de petits animaux en sucre d'érable, une friandise que Gilles put enfin goûter.

La Fée des bois donna à Gilles une bonne provision de petits pains de sucre pour le récompenser d'avoir secouru Aouata, puis les deux enfants rentrèrent à la maison. La nouvelle de leur découverte fit rapidement le tour de la colonie. Mais quand, le lendemain, les colons voulurent voir de près la fée, sa cabane et les lutins, tout avait disparu.

Rien ne restait, si ce n'est le souvenir de la façon de fabriquer le sucre d'érable.

L'ÉRABLE... AU-DELÀ DE L'ÉRABLIÈRE

L'ÉRABLE à sucre porte le nom scientifique de *Acer saccharum.* Et tout unique qu'il soit, il est d'une grande famille répartie dans le monde : celle des acéracées. *Acer*, le terme générique et le nom latin de l'érable, vient du mot celte *ac*, qui renvoie à la dureté de son bois.

Sur notre planète, il existe quelque 160 espèces d'érables. À lui seul, le Canada compte 10 espèces indigènes. Au Québec, nous en retrouvons sept : l'érable à épis, l'érable à sucre, l'érable argenté, l'érable de Pennsylvanie, l'érable negundo, l'érable noir et l'érable rouge. Trois autres espèces sont confinées dans la région forestière côtière du sud de la Colombie-Britannique. Il s'agit de l'érable circiné, de l'érable grandifolié et de l'érable nain. Quant à l'érable de Norvège, très utilisé chez nous en ornementation, il n'est pas considéré comme une espèce indigène.

De toutes les espèces d'érables, l'érable à sucre, cet arbre le plus grand, le plus beau et le plus abondant de tous, est aussi le plus important à bien des points de vue. En effet, il couvre la plus grande surface géographique; son bois est le plus utile; son sucre, le plus abondant; son exploitation, la mieux organisée; et sa valeur économique, la plus élevée.

CARTE D'IDENTITÉ DE L'ÉRABLE À SUCRE

Voilà certainement un individu de haute taille et aux ramures bien proportionnées, puisqu'il atteint 45 mètres de haut et que son tronc, mesuré à la hauteur de poitrine d'homme – c'est ainsi qu'on toise les arbres –, a parfois 5 mètres de circonférence. À midi, son ombre couvre 150 mètres carrés.

Contrairement à certains autres spécimens, tel le noyer, l'érable à sucre est couvert d'un feuillage dense et porte une abondance de fruits. Ses feuilles, aux sinus arrondis, ont un limbe de 8 à 15 centimètres. Très épanouies, elle

ıent cinq lobes bien
.e dessous, sont dé-

ıle à sucre et de nom-
ırbres est la samare,
t à une seule graine)
circulaire ou latérale.
.ble est double puis-
ailes latérales. C'est
:e. Les samares font
nètres de longueur et
:s.
:able à sucre est d'un
devient rugueuse et
eux sujets et se couvre
gnons microscopiques

qui lui donnent des couleurs variant du vert fluorescent à l'orangé.

Jadis, au temps des découvreurs, l'érable à sucre occupait un vaste territoire qui s'étendait de la plaine du Mississippi à l'Acadie. Aujourd'hui, son aire de distribution est rétrécie comme peau de chagrin. On trouve ce spécimen d'ouest en est, depuis les Grands Lacs jusqu'en Nouvelle-Angleterre, et, du sud au nord, depuis la Nouvelle-Angleterre jusqu'au Nouveau-Brunswick. Mais c'est au Québec que cet arbre est le plus abondant. Voilà pourquoi 70% de la production mondiale du sirop et du sucre d'érable est faite chez nous. Et

cette ressource n'est encore exploitée qu'au tiers de son potentiel...

D'après une théorie de plus en plus vérifiable, le réchauffement de la planète serait la cause première de cet état de fait. Ainsi, à la fin du siècle dernier, le centre de la production du sucre d'érable était situé dans les États américains du Nord-Est. Cependant, au début du siècle, il s'était déplacé dans les Cantons-de-l'Est puis, au cours des années 1950, dans la Beauce. D'après l'Union des producteurs agricoles du Québec, il s'établirait maintenant dans le Bas-Saint-Laurent.

Les érables ne migrent pas, à proprement parler. Cependant, comme les conditions climatiques qui lui sont favorables semblent être toujours plus au nord, l'espèce acquiert une importance grandissante dans des régions où elle était jadis quasi absente.

LA DÉCOUVERTE D'UNE EAU SUCRÉE

Les Amérindiens du Canada expliquèrent à nos ancêtres français que plusieurs arbres de ce pays donnaient, à certaines périodes de l'année, une eau sucrée. Cependant, il faut savoir que l'eau sucrée de l'érable n'est pas la sève de cet arbre : c'est de l'eau.

L'érable à sucre n'est donc pas le seul à donner de l'eau sucrée : l'érable rouge, l'érable noir, le noyer noir, le noyer

Cette illustration fort instructive, qui date d'environ 1870, montre que l'exploitation de l'érablière est en pleine évolution. La pratique de faire évaporer l'eau d'érable en plein air a été abandonnée, de même que les vaisseaux qu'on posait jadis au pied des arbres pour recueillir l'eau sucrée. On fait évaporer l'eau d'érable dans une cabane à sucre toute neuve mais son concept est incomplet : il manque un toit sur le dôme à vapeur. Des seaux de bois sont maintenant accrochés aux arbres mais les sucriers transportent encore l'eau à la cabane à l'aide de jougs.

cendré, le hêtre, le frêne, le bouleau blanc et le bouleau jaune en font autant. Néanmoins, l'érable à sucre est l'arbre le plus répandu et celui dont l'eau sucrée est la plus abondante. Par ailleurs, peu de gens savent qu'on peut tirer de l'eau de tous ces arbres deux fois par année, soit au printemps et à l'automne. Cependant, pour des raisons pratiques, on ne le fait qu'au printemps et presque exclusivement de l'érable à sucre.

Les Indiens d'Amérique connaissaient le secret de l'eau sucrée. Ils l'avaient sans doute eux-mêmes appris des bêtes, vraisemblablement de l'écureuil roux. Si, au temps propice, une branche importante d'un arbre à eau sucrée est brisée par le vent ou par la chute d'un autre arbre, un liquide s'écoule de la blessure, et l'écureuil roux, qui en raffole, se précipite pour le lécher. Ce manège ne peut avoir échappé à l'œil de ces fins observateurs qu'étaient les premiers habitants de ce continent.

La plupart des légendes attribuent aux autochtones le mérite d'avoir découvert les produits de l'érable. Si je reconnais qu'ils ont trouvé l'eau d'érable, j'affirmerai, par contre, au risque de détruire bien des légendes et de contredire quelques historiens, que rien n'indique que les Indiens connaissaient le sirop d'érable. Seuls les Blancs leur ont montré comment faire le sirop et le sucre.

Rien d'étonnant à cela! Les premiers habitants étaient des cueilleurs, des chasseurs et des nomades, mais il faut être sédentaire pour s'adonner à la transformation et posséder l'outillage nécessaire à cette fin. Bien sûr, il est possible de réchauffer un liquide dans un contenant d'écorce et même de le faire bouillir un peu, mais il faut au moins un récipient pour le faire bouillir longtemps et permettre cette opération qui fera en sorte de réduire l'eau d'érable et de la transformer en sirop. Or, contrairement aux Indiens de Pennsylvanie, qui étaient de bons potiers, les nôtres n'avaient tout simplement pas de vaisseaux à l'épreuve du feu.

Nombre de voyageurs anciens témoignent, dans leurs écrits, de la pratique courante, chez les Indiens et chez les Blancs, qu'est la cueillette de l'eau sucrée dans les arbres qui en produisent. Parmi ceux-là, il y a le missionnaire André Thévet dès 1558, l'explorateur Pierre Boucher en 1664, le père Henri Nouvel en 1672 et le baron de La Hontan en 1704. En 1634, le père Lejeune, un jésuite, écrit à son supérieur qu'en temps de famine, les «sauvages» mangent l'écorce d'un certain arbre appelé *michtan,* dont ils tirent aussi un suc doux comme du miel. Mais il précise, en ajoutant : « [...] mais à peine s'amusent-ils à cela, tant il en coule peu. » En 1636, le missionnaire récollet Gabriel Sagard-Théodat, qui se trouve en Huronnie, raconte aussi que les Montagnais tirent d'un certain arbre qu'ils nomment *michtan*, un suc doux comme du miel, mais qu'ils se contentent de lui donner deux ou trois bouillons.

Il faut se rendre à l'évidence : le suc n'est pas un sirop, et c'est encore moins du sucre! Pierre-François-Xavier de Charlevoix, missionnaire jésuite et historien, affirme sans l'ombre d'un doute : « [...] il est certain qu'ils [les autochtones] ne sçavaient pas en former le Sucre comme nous leur avons appris à le faire[1]. » L'historien Benjamin Sulte est aussi de cet avis[2].

1. De Charlevoix, Pierre-F.-X. *Histoire et Description Générale de la Nouvelle-France avec le Journal d'un Voyage fait par ordre du roy dans l'Amérique septentrionale.*

2. Sulte, Benjamin. *Mélanges historiques* , vol. 7.

L'ARBRE APOTHICAIRE

Chose étonnante à la lecture des textes anciens, l'eau d'érable n'était pas tenue pour une friandise. C'était plutôt une curiosité et, surtout, un remède. Au début de la colonisation, on lui trouve une foule d'utilités médicinales; on lui attribue les vertus curatives les plus diverses.

Le missionnaire Sagard raconte même que l'on boit l'eau d'érable pour fortifier le cœur. Le missionnaire et historien De Charlevoix affirme, quant à lui, que l'eau sucrée de l'érable guérit toujours les maux d'estomac. « Elle n'a point cette crudité qui cause la pleurésie, précise-t-il, mais, au contraire, une vertu balsamique qui adoucit le sang et un certain sel qui entretient la chaleur. » En 1737, Marie Duplessis, mère supérieure de l'Hôtel-Dieu de Québec, écrit à un apothicaire de Paris qu'on se sert du sucre d'érable pour guérir les rhumes et pour apaiser les toux. En 1748, le naturaliste suédois Peter Kalm affirme que le sucre d'érable guérit les brûlures et que la plante soulage également les écorchures. Le missionnaire Chrestien Le Clercq nous apprend qu'en Gaspésie, on fait du rossolis, une liqueur fort en vogue à cette époque à Turin, en mélangeant de l'eau d'érable et de l'eau-de-vie avec des clous de girofle et de la cannelle. Enfin, le seigneur de Cap-Breton dit de l'eau d'érable : « [...] je croy qu'elle seroit bonne pour ceux qui ont la pierre. »

L'HISTOIRE DU SUCRE

Il peut paraître surprenant qu'aux siècles derniers on ait accordé peu d'importance au plaisir de la consommation de produits sucrés. Mais replaçons les choses dans leur contexte historique afin de mieux les comprendre.

Si, de tout temps, on connaissait le miel, le sucre, lui, est un produit dont l'utilisation courante ne remonte qu'à quelques siècles, ce qui est peu dans l'histoire de l'humanité.

La canne à sucre provient de Chine. Puis, des marchands l'introduisirent en Inde. Au Moyen Âge, on la retrouva en Arabie, en Syrie et en Égypte. Mais avant ce temps, Alexandre le Grand goûta au sucre au Pendjab et fit connaître la plante en Grèce, d'où les Siciliens et les Italiens l'importèrent. En 1420, le roi Henri du Portugal en transplanta aux Îles Canaries. En 1506, les Espagnols exportèrent la canne à sucre à Saint-Domingue, où elle trouva enfin les terres riches et le climat tropical qui lui convenaient vraiment.

Mais le sucre n'était pas, comme aujourd'hui, un produit de consommation courant, loin de là! En 1558, le géographe et médecin André Thévet écrivait : « Les Anciens estimaient fort

On fait maintenant évaporer l'eau d'érable bien à l'abri dans une cabane mais on se sert toujours du chaudron de fer : l'évaporateur viendra beaucoup plus tard.

le sucre de l'Arabie parce qu'il était merveilleusement cordial et souverain, spécialement en médecine, et ils ne l'appliquaient guère à autre chose. Son usage fut défendu aux Athéniens par leurs lois, comme une chose qui efféminait le peuple, ce que les Lacédémoniens ont suivi par l'exemple. »

En Europe, le sucre de canne était jadis pris comme remède avant tout. On se méfiait même de ce produit... trop voluptueux. Ce n'est qu'au XVIIIe siècle que son usage quotidien entra dans les mœurs.

En somme, nos ancêtres ont mis beaucoup de temps avant de se laisser gagner par le plaisir de la dégustation des produits de l'érable. Quant à nous, il va sans dire que depuis l'arrivée, dans nos pharmacies, d'une substance chimique comme l'antibiotique et d'un remède telle l'aspirine, nous avons aussi oublié les vertus médicinales de l'eau d'érable. Mais peut-être avons-nous tort...

L'INVENTION DU SUCRE D'ÉRABLE

Le Canada fut découvert en 1534, et les premières mentions écrites de l'eau sucrée datent, nous l'avons vu, de 1558. Mais ce produit a alors si peu d'importance qu'il s'écoule un demi-siècle avant qu'un autre missionnaire précise qu'on tire une eau douce de l'érable. En 1663, le grand voyageur Pierre Boucher, qui vit au Canada depuis 30 ans et qui en a exploré tous les recoins, écrit son *Histoire Naturelle de la Nouvelle-France*. Dans ce mémoire destiné au roi de France et à ses ministres, cet observateur avisé décrit avec force détails tous les éléments naturels qu'il a observés dans la colonie. De l'érable à sucre, il dit : « Il y a une espèce d'arbre qu'on appelle érable, qui vient fort gros et haut. Le bois en est fort beau, nonobstant quoi on ne s'en sert qu'à brûler ou pour emmancher des outils, à quoi il est très propre à cause qu'il est extrêmement doux et fort. Quand on entaille ces érables au printemps, il en dégoutte quantité d'eau qui est plus douce que l'eau détrempée dans du sucre, du moins plus agréable à boire. » Voilà tout! Il n'est encore question ni du sirop ni du sucre d'érable. Pourtant, comme tout bon Européen, Pierre Boucher connaît le sucre de canne.

L'intendant Talon, qui dirigea le pays de 1665 à 1670, créa toutes sortes d'industries afin de rendre la colonie financièrement autonome. À cette fin, il établit des filatures et des brasseries, et planta des arbres fruitiers, mais il ne songea ni au sirop ni au sucre d'érable. De toute évidence, ces produits n'existaient pas encore.

Comme on le sait, l'inventaire des objets appartenant à un ménage nous révèle la vie intime des gens. Or, l'inventaire des plus anciens ménages du Canada ne contient aucune note relative au sucre de canne ou au sucre d'érable.

Par ailleurs, entre 1670 et 1695, aucun des successeurs de Talon ne traite du sirop ou du sucre d'érable dans ses comptes rendus, qu'il s'agisse de Frontenac, de de La Barre, de Denonville, de de Meulles ou de Champigny. En fait, il faudra attendre les volumineux écrits du baron de La Hontan, qui a fréquenté le Haut et le Bas-Canada de 1683 à 1690, pour trouver enfin, en 1685, une première mention du sirop et du sucre d'érable.

Il y a maintenant un siècle et demi que le Canada est découvert; les villes de Québec et de Montréal prospèrent, la colonisation va bon train, le commerce international est florissant, et on importe couramment du sucre de canne des Antilles[1]. Or, que dit La Hontan de la sève d'érable? Je cite : « On fait de cette sève du sucre et du sirop si précieux qu'on n'a jamais trouvé de remède plus propre à fortifier la poitrine. » Et il ajoute cette remarque, qui nous éclaire davantage : « Peu de gens ont la patience d'en faire. Comme on n'estime jamais les choses communes et ordinaires, il n'y a guère que les enfants qui se mettent à entailler ces arbres. »

C'est aux Gaspésiens que revient l'honneur d'avoir inventé la première boisson alcoolisée au sucre d'érable. Ces merveilleux impies au génie inventif dégustent le sucre d'érable par pure gourmandise et le mélangent finalement à l'alcool. Un plaisir n'interdit pas l'autre, n'est-ce pas! Du produit de l'érable, ils font du rossolis, dont le terme italien maintenant francisé désigne le cordial alcoolisé qu'on appelle aujourd'hui communément « ponce ». Ce sont les écrits du missionnaire récollet Chrestien Le Clercq qui nous révèlent ces faits en 1691[2].

À la toute fin du XVIIe siècle, la fabrication du sucre d'érable se répand et entre peu à peu dans les mœurs. En 1698, le R. P. François Hennepin note que le sucre rougeâtre qu'on fabrique avec la sève d'érable au Mississippi est meilleur que celui provenant de la canne ordinaire.

En 1699, le sieur de Diéreville, visitant l'Acadie, écrit : « Les fraises sont communes partout dans les champs et on

1. Dans le bulletin n° 188 du Musée national du Canada publié en 1963, l'historien Robert-Lionel Séguin affirme catégoriquement que l'autochtone « transforme la sève en sucre bien avant l'arrivée des Blancs », ce qui est totalement faux. Il nous apprend aussi qu'en 1670, les hauts fonctionnaires du Canada favorisent l'exportation du sucre, et qu'en février 1671, le gouverneur Colbert demande à l'intendant Talon d'inciter les habitants à construire leurs voiliers, à y charger des sucres et à les transporter en France. Séguin en conclut qu'on fabrique déjà du sucre d'érable, mais il commet ici encore une méprise, puisqu'il voit dans cet ordre un encouragement à l'expédition hors du pays du sucre d'érable, alors qu'il s'agit de sucre de canne. En réalité, le Canada exporte alors du bois aux Antilles, d'où il rapporte du sucre, et le gouvernement souhaite que les Canadiens vendent ce sucre de canne à la France plutôt que de le garder. À cette époque, le sucre d'érable n'était donc pas encore « inventé ».

2. Le Clercq, Chrestien. *Nouvelle Relation de la Gaspésie*, 1691.

Les seaux de bois étant lourds et difficiles à fixer aux érables, on continua longtemps à recueillir l'eau d'érable dans des bacs au sol. Noter la longueur des goutterelles.

a le plaisir de les manger avec un sucre que le pays produit. »

En 1730, le docteur Michel Sarrazin, qui vit au Canada par intermittence depuis 1885 et y effectue des recherches en botanique, publie un mémoire sur ses travaux. À propos de l'érable à sucre, il y est dit : « On fait à l'arbre une ouverture d'où la sève sort dans un vase qui la reçoit et, en la laissant s'évaporer, on a environ la vingtième partie de son poids qui est du véritable sucre propre à être employé en confitures. »

La consommation du sucre d'érable est désormais courante, mais on tient encore le sirop d'érable pour un remède. De fait, il s'écoulera plusieurs décennies avant qu'on l'utilise en cuisine, comme accompagnement de certains mets. Les autochtones obtiennent des casseroles des Blancs et, comme eux, évaporent maintenant l'eau d'érable mais, semble-t-il, avec moins de bonheur, si l'on en croit les récits du missionnaire Jean-François Lafiteau rédigés en 1724.

Comme les mythes, les préjugés ont la vie dure. Ainsi, en France, au début du présent siècle, on voyait encore le sucre d'érable comme un produit tout juste bon à la fabrication de remèdes. En 1921, l'historien Benjamin Sulte rapporte que quatre confiseurs de Paris auxquels il a envoyé des échantillons ont unanimement refusé, pour cette raison non fondée, d'en faire des bonbons. Juste retour des choses, le surnom « arbre confiseur » qu'on accole maintenant à l'érable à sucre a justement été donné par les habitants de la Vieille Patrie.

LES PRÉPARATIFS

Les boisés d'érables, qu'on appelle érablières, sont en état de dormance. Depuis novembre ou décembre, selon les régions où ils se trouvent, la neige s'y accumule et molletonne leurs formes. L'ours, le tamia rayé, le raton laveur et la plupart des petits rongeurs hibernent. Les cerfs de Virginie se sont retirés dans les bois de résineux; les écureuils aussi. Les oiseaux ont émigré depuis longtemps vers le sud. Un seul hôte de l'érablière est actif : le sucrier, l'exploitant de l'érable à sucre.

Si on ne voit pas ses traces dans la neige profonde, c'est qu'il a effectué une partie de son travail dès l'automne. Il a d'abord coupé les arbres malades, trop vieux ou brisés par le vent, et en a fait du bois de chauffage, qu'il utilisera pour la production du sirop ou qu'il vendra pour l'usage domestique. Il a aussi émondé certains érables qui nuisaient à leurs voisins.

Puis il a retapé les sentiers où il aura à circuler et en a peut-être tracé de nouveaux. Il a réparé un toit qui coule, remplacé un réservoir trop petit ou rouillé et, surtout, s'il a une cabane à sucre traditionnelle, il a accumulé une importante provision de bois de chauffage. L'eau de l'érable à sucre contient de 20 à 50 parties d'eau par partie de sucre. Il faut la faire bouillir vivement environ quatre heures pour obtenir du

sirop, et un peu plus encore pour faire du sucre. Cette activité exige donc des quantités considérables de combustible.

Aux derniers jours de février, le sucrier, généralement aidé des membres de sa famille ou profitant d'une main-d'œuvre occasionnelle, se rend à la cabane à sucre, ce bâtiment construit et aménagé spécialement pour la production du sirop et du sucre d'érable. Si la production du sirop d'érable a mis tellement de temps à s'imposer au pays, c'est certainement dû aux inconvénients qu'elle comporte quand on l'effectue dans la cuisine d'une résidence. En effet, en s'évaporant, la sève dégage une vapeur qui, à la longue, laisse un dépôt sucré et légèrement collant sur les plafonds. Dans un premier temps, on faisait bouillir l'eau d'érable à l'extérieur, en plein air, mais, bientôt, pour pallier l'inconfort de cette façon de faire, on s'est mis à construire de petits bâtiments à plafonds hauts qu'on a appelés cabanes à sucre. Cette appellation est restée, quelle que soit la taille de ladite cabane.

Mi-mars, le sol est encore couvert d'une généreuse couche nivale. Il faudra attendre que les abords de la cabane soient dégagés pour mettre le réservoir en place et préparer l'équipement.

La première chose que fait le sucrier est de remettre en place l'évaporateur qu'il a démonté au printemps pour le nettoyer en profondeur et le ranger ensuite sous emballage. En effet, comme le sirop et le sucre constituent des denrées alimentaires, des mesures d'hygiène rigoureuses sont exigées.

Ensuite, le sucrier allume le feu et remplit l'évaporateur d'eau nature, qu'il fait bouillir afin de stériliser les bassins. Puis, il examine avec attention, lave et stérilise tous les instruments et chaque ustensile qui servent à la production du sirop et du sucre, des seaux à eau d'érable jusqu'aux goutterelles.

On dit de la période de la cueillette d'eau d'érable que c'est le temps des sucres. Comme elle dure quelque six semaines, le sucrier s'établit temporairement dans une pièce de sa cabane. Quelle que soit la taille de son exploitation, il y installe un poêle, un lit, une table, des chaises, et apporte des provisions. Même si la cabane à sucre se trouve à peu de distance de sa maison, le sucrier doit y séjourner en permanence… ou presque puisque, en période de fortes coulées, il doit entretenir son feu et faire bouillir l'eau d'érable jour et nuit.

On désigne les érablières non pas selon le nombre d'érables qu'elles contiennent, mais bien plutôt par le nombre d'entailles qu'on y pratique. Une jeune érablière peut donc compter trois fois plus d'arbres qu'une vieille, mais ne pas avoir plus d'entailles. Dans le cas d'une petite érablière – 1 000 entailles et moins –, les préparatifs sont vivement expédiés. Mais il en va autrement des grandes exploitations. Dans ce cas, on ne se contente pas de taper les chemins; une route de contour y est plutôt tracée, déneigée et entretenue. La préparation des grands évaporateurs et des systèmes d'osmose exige un travail considérable. À cela, il faut ajouter la stérilisation de kilomètres de tuyaux – l'eau étant recueillie par des pipelines – et l'approvisionnement de pétrole ou de tout autre combustible, si on ne chauffe pas au bois. Selon la taille de l'exploitation, les préparatifs peuvent donc durer de plusieurs jours à quelques semaines.

L'ENTAILLAGE ARTISANAL

Une entaille est l'orifice qu'on pratique sur un arbre pour en cueillir l'eau sucrée.

Voici comment, dans le joli langage du XVIIIe siècle, N. de Dierville décrit l'entaillage à la hache : « Pour recevoir cette douce Liqueur qui est aussi Claire que l'eau de Roche, on fait dans l'arbre à coups de hache un trou assez profond en forme d'auge. L'eau tombe par un petit dalot de bois appliqué sur le bord de l'auge dans un vaisseau qui est au pied de l'arbre. » Le petit dalot de bois, dont il est ici question, est l'ancêtre de la goutterelle.

Pratiquer une entaille à la hache abîmait fortement les arbres, et cette habitude faillit ruiner l'industrie du sucre d'érable avant même qu'elle naisse. En 1716, à l'époque où la fabrication du sirop et du sucre d'érable commençait tout juste à devenir pratique courante, le gouvernement du Québec, par la voie de son représentant Bégon, défend aux habitants de Bellechasse d'entailler les érables sur les terres non concédées, c'est-à-dire celles qui appartiennent au seigneur de l'endroit ou à l'État. Le texte de l'interdit est d'ailleurs non équivoque : « Nous faisons défenses à toutes personnes d'entailler les arbres d'érable, tant sur le domaine de Bellechasse que sur les terres de ladite seigneurie non concédées, sous prétexte de faire des sucres, à peine contre chacun des contrevenants, de dix livres d'amende applicable à l'église de la paroisse de ladite seigneurie. »

Quelques années plus tard, en 1730, un problème de même nature surgit à Yamaska, où la seigneuresse s'en remet à l'intendant Hocquart pour faire cesser l'entaillage de ses arbres à la hache. Hocquart punira l'offense de 20 livres au profit de l'église locale.

La nécessité, on le sait, est mère de l'invention. De fait, les interdits allaient provoquer la mise au point de la goutterelle. Ce petit dalot qui portait l'eau de l'entaille au seau, quelqu'un eut l'idée, un jour, de le poser directement dans l'arbre en y perçant un trou : la goutterelle était née.

Néanmoins, il fallut longtemps avant que le vaisseau destiné à la cueillette de l'eau d'érable soit attaché à la goutterelle. Pendant plus d'un siècle, on posa ce récipient par terre pour une raison toute simple : comme il était en bois, et donc fort lourd, la goutterelle, elle-même faite de bois, ne pouvait le porter sans se briser. Mais un seau installé par terre amène quelques problèmes : une partie de l'eau gicle et se perd; le contenant se

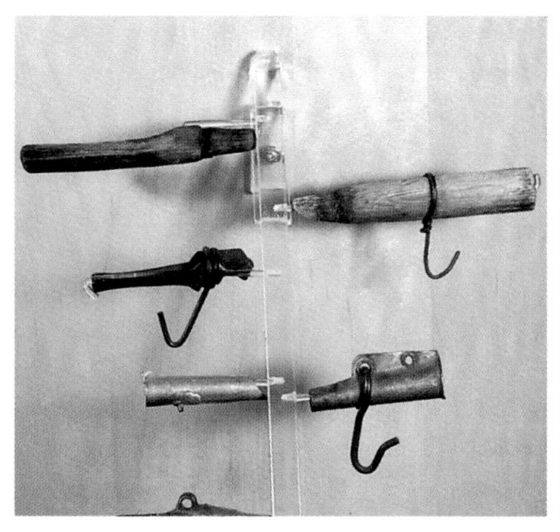

Encore aujourd'hui, on pratique l'entaillage traditionnel dans les exploitations de petite taille. Les chalumeaux, jadis en bois, ont été graduellement remplacés par des goutterelles en métal munies d'un crochet auquel on suspend en seau léger, en aluminium. Le sucrier pratique une entaille avec un vilebrequin et y enfonce une goutterelle avec un maillet de bois. Un gros érable peut tolérer plusieurs entailles.

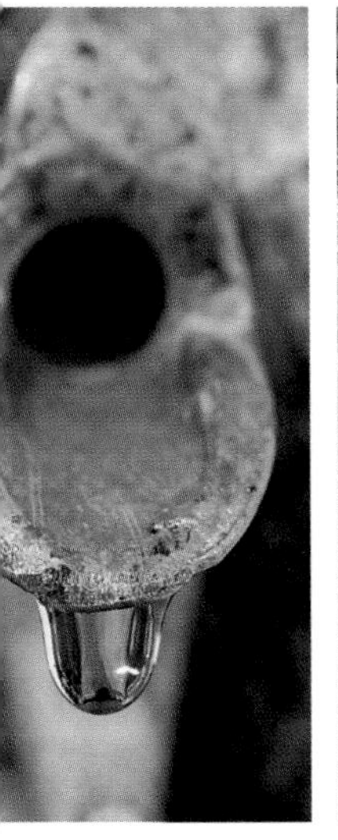

Comme l'entaillage laisse un trou béant l'exploitation terminée, ce qui favorise l'invasion d'insectes nuisibles, on utilise de plus en plus des goutterelles minuscules branchées à un tuyau qui s'égoutte dans un seau ou qu'on raccorde à un pipeline.

renverse; et les bêtes, surtout les cerfs et les écureuils, sont tentés d'y boire et d'effectuer la récolte avant le sucrier. Et comme si cela n'était pas suffisant, des morceaux d'écorces et des insectes, notamment les papillons, s'y retrouvent fatalement.

Le problème sera réglé en 1865, quand on utilisera des seaux en tôle de Russie, beaucoup plus légers que les bacs de bois. Munis d'un couvercle basculant, on les attachera aux goutterelles à l'aide d'un crochet.

Les goutterelles évolueront aussi. D'abord creusées en forme de dalot, elles prendront bientôt l'apparence d'un cylindre creux qui tiendra beaucoup plus solidement dans l'entaille pratiquée avec une grosse mèche appelée tarière. Puis, on inventera la goutterelle de métal : beaucoup plus petite que son ancêtre en bois, elle requerra un trou plus petit, qui exigera moins d'énergie pour le percer. Aussi appelée chalumeau, cette goutterelle est encore couramment utilisée dans les exploitations artisanales de 1 000 entailles et moins.

Les jours rallongent vite en mars. Bientôt, le temps s'est adouci, et la cabane est prête. Le sucrier doit maintenant rendre praticables les chemins d'accès de son érablière. En effet, après un long hiver, plus d'un mètre de neige s'est souvent accumulé, une neige parfois entrecoupée de couches durcies et même de verglas. Comme on ne peut y circuler facilement, le sucrier, à l'aide de chevaux ou d'un tracteur à chenillettes, brise cette neige, l'écrase, la tasse : c'est ce qu'on appelle « battre » les chemins. Le froid de la nuit la durcira de nouveau et, le lendemain, on pourra passer aisément sur ce fond dur et uni.

LA CUEILLETTE ARTISANALE

Autrefois, on allait récolter l'eau d'érable à pied. Le sucrier chaussait alors ses raquettes, de longues plate-formes faites de babiches[1] tressées, posait sur ses épaules un joug en bois sur lequel se balançait, à chaque extrémité, un grand baquet et partait recueillir l'eau sucrée accumulée dans les vaisseaux posés au pied des arbres.

C'était là une tâche harassante puisque l'eau, même sucrée, était lourde, et le sucrier avançait péniblement.

Le nombre d'entailles augmentant, on mit bientôt un cheval, puis deux à la tâche, en les attelant à un traîneau porteur d'un grand tonneau. Aujourd'hui, le tracteur a remplacé la bête. En réalité, on n'utilise plus le cheval et le tonneau que dans les érablières où l'on accueille des visiteurs. La cueillette de l'eau d'érable s'ajoute ainsi aux activités traditionnelles de la cabane à sucre, et tous les intéressés y prennent part. Ce travail s'effectue dans la joie, car cette période marque la fin de l'hiver, et chacun a, au fond du cœur, le sentiment justifié que cette eau sucrée est un pur don de Dame Nature.

On dit que l'érable donne une bonne coulée quand, par un concours de circonstances favorables, son eau coule abondamment. Une bonne coulée survient le lendemain d'une nuit froide. La coulée idéale se décrit comme suit : pendant la nuit qui succède une journée douce, le temps est clair, et la température descend de plusieurs degrés sous le point de congélation. Le lendemain, le soleil se lève radieux, et une masse d'air chaud envahit lentement la région. Les érables dégèlent, et leur eau se met à couler de plus en plus abondamment. Au plus fort de la coulée, une goutte par seconde tombe de chaque goutterelle pour former une récolte qui peut atteindre quelques dizaines de litres par gros arbre. S'il gèle de nouveau le soir, on peut espérer une coulée semblable le lendemain.

En règle générale, on ne connaît que deux ou trois grosses coulées par saison. Le reste du temps, l'eau vient lentement. Comme le printemps est entrecoupé de périodes froides, les arbres arrêtent parfois de couler et recommencent plus tard.

Jadis, on croyait indispensable que la neige recouvre le sol afin que les érables coulent. C'est faux! Une alternance de gel et de dégel suffit. Toutefois, la neige aide à conserver le sol frais, l'empêchant de se réchauffer trop vite. Ainsi, quelques érablières situées tout près de Montréal perdent parfois leur couche nivale dès le milieu de l'hiver, mais donnent quand même une récolte appréciable. Par

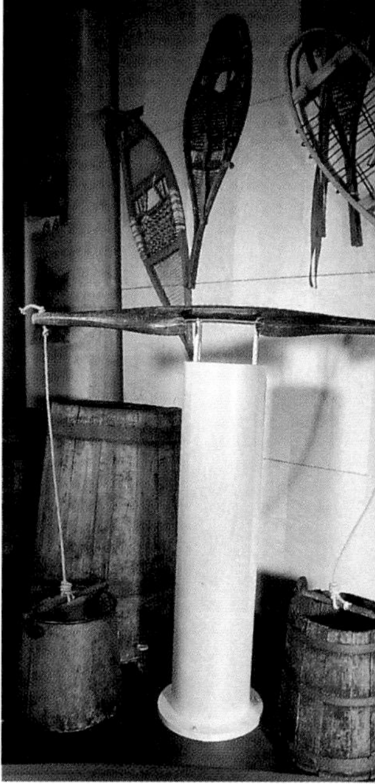

1. Babiche : lanière de cuir brut faite à partir de la peau d'orignal ou d'élan d'Amérique.

Les raquettes, le joug et ses seaux de bois du Musée de l'érable, à Plessisville, nous rappellent que le temps où l'on cueillait l'eau d'érable manuellement n'est pas si loin. On voit même encore, dans la région des Bois-Francs, quelques attelages qui traînent le célèbre baril de bois.

L'évaporateur, qui succédé au chaudron de fer, devient de plus en plus gros et puissant. On chauffe encore au bois, mais le pétrole s'est imposé dans les exploitations industrielles.

contre, à cause du réchauffement du sol, le temps des sucres dure moins longtemps. En ce qui a trait aux heures de coulée, cette dernière a lieu, par beau temps, quand la chaleur du soleil dégèle les érables, soit vers neuf heures. Mais si le redoux survient la nuit, le travail se poursuivra de nouveau à ce moment.

Comme la coulée est irrégulière, intense le jour, souvent nulle la nuit, le sucrier déverse l'eau non pas dans la bouilloire, mais dans un réservoir installé à proximité de la cabane à sucre. De cette façon, il peut assurer un débit constant dans cette bouilloire et poursuivre l'évaporation la nuit comme le jour.

Bien que la période de cueillette commence à des dates différentes au Québec, un érable donne de l'eau pendant environ quatre semaines.

FABRICATION DU SUCRE D'ÉRABLE

La cabane à sucre brille de propreté; l'évaporateur est en place; le matériel, fin prêt. Le temps se réchauffe enfin; le mercure dépasse de quelques degrés le point de congélation; et une première goutte d'eau sucrée se forme sur la lèvre d'une goutterelle exposée au sud. Éblouie par le soleil, la belle hésite un peu, frissonne dans l'air frisquet, puis se jette dans le vide.

Elle heurte le fond métallique du seau en émettant un joli *fa* dièse. La joyeuse note provoque les goutterelles voisines et, bientôt, si on sait écouter, on entendra l'orchestre entier des érables jouer cette musique si douce au cœur du sucrier... le son de la première coulée.

L'élaboration de l'eau sucrée est le résultat, pour l'érable, d'une année entière de travail. Sa tâche quotidienne, comme citoyen de la forêt, consiste à

Lever de soleil sur l'érablière.

grandir, à disputer aux voisins l'espace vital et à accumuler des réserves de sucre.

À la fin août, lorsque sa période de croissance annuelle est terminée, l'érable commence à emmagasiner des surplus de nourriture sous forme d'amidon non soluble dans l'eau. Ces réserves se logent dans ses racines, dans son tronc et dans ses branches. Au printemps, le réchauffement graduel de la température activera des enzymes qui transformeront cet amidon en sucre soluble.

Tout arbre contient deux liquides différents : de la sève et de l'eau. Cependant, le volume total d'eau dépasse largement celui de la sève. La sève est le liquide nourricier des plantes. Elle est élaborée à partir d'une portion de l'eau que les racines de l'arbre tirent du sol. Cette eau renferme des sels minéraux et des éléments nutritifs.

L'élaboration de la sève est faite par les feuilles, en saison de croissance. Ce phénomène existe tant chez les conifères que chez les feuillus, puisque les aiguilles d'un conifère sont des feuilles. La sève voyage par le liber, cette première couche de bois située sous l'écorce. Quand un arbre est en état de dormance, depuis l'automne jusqu'à l'apparition des premiers signes de vie au printemps suivant, sa sève ne circule pas. Quant à l'eau, elle voyage par les racines et habite l'aubier et les branches, ces parties les plus volumineuses de l'arbre.

Chez l'érable à sucre, en période de gel et de dégel, l'eau prend de l'expansion, et une pression se forme à l'intérieur du tronc. Il suffit alors de pratiquer une entaille dans l'arbre pour que cette eau sorte… et que l'érable coule. Cette eau est sucrée parce qu'elle

Pour de nombreux agriculteurs, l'exploitation de l'érable représente un revenu d'appoint important.

dilue une partie des réserves de sucre de l'érable : c'est l'eau d'érable. Quand l'arbre se réveille, vers la fin du temps des sucres, sa sève se remet à circuler et se retrouve, elle aussi, dans les seaux. Il faut alors cesser la cueillette puisque la sève détériore l'eau d'érable et donne un goût âcre au sirop.

L'eau d'érable contient 2 à 3% de sucre, des sels minéraux, des acides aminés, de la pyrazine et divers éléments nutritifs qui varient d'une région à l'autre et qui peuvent donner un goût particulier au sirop et au sucre d'érable.

La teneur en sucre de l'eau varie d'un individu à l'autre et dépend d'abord de facteurs d'ordre génétique. On peut évaluer efficacement la teneur en sucre d'un érable non entaillé en utilisant un appareil appelé réfractomètre.

LA FABRICATION ARTISANALE DU SIROP

Si l'on s'avisait de retirer l'eau douce de l'eau d'érable par séchage à froid sous vide – comme on le fait pour le café soluble –, on obtiendrait un produit terne et insipide. C'est la cuisson du sucre contenu dans l'eau d'érable qui transforme cette eau en sirop. Dans le chaudron de la cuisinière, comme dans les plus grands évaporateurs, l'eau d'érable est soumise à la chaleur d'un feu vif qui en caramélise le sucre. C'est la caramélisation qui donne sa couleur au sirop. Voilà donc pourquoi le sucrier doit la contrôler dans la mesure du possible. Il exploite alors la corrélation entre la taille, le volume et la surface exposée au feu de son évaporateur.

L'évaporateur a été inventé vers 1875. Il est composé de plusieurs bassins reliés entre eux, mais exposés à la chaleur d'un feu commun. Au fur et à mesure que l'eau s'évapore, la quantité de sucre augmente dans le liquide qui reste et qu'on appelle «réduit». Plus le processus avance, plus le réduit s'alourdit et tend à émigrer vers le bassin situé à l'extrémité de l'évaporateur opposé à l'arrivée d'eau d'érable. Ce système permet au sucrier de produire sans interruption. En fait, si l'approvisionnement en eau d'érable est suffisant, et le réservoir assez volumineux, l'évaporateur pourra produire jour et nuit pendant des semaines, ce qui est le plus économique.

Quand le réduit atteint 66% de sucre, il devient du sirop d'érable. À ce moment, on le retire de l'évaporateur, on le filtre une première fois, on le laisse refroidir, on le filtre de nouveau, et le voilà prêt pour la consommation ou pour la transformation.

Si l'exploitation acéricole est très petite, et la récolte, minime, on mettra le sirop en pots afin de le consommer au cours des heures et des jours qui viennent. Dès qu'on a plus que quelques dizaines de litres, on met le sirop en conserve, dans des cannettes métalliques scellées de 500 millilitres. Les grandes exploitations, quant à elles, mettent le sirop en barils de 200 litres.

COMMENT JUGER LE SIROP

Le sirop d'érable destiné à la mise en marché doit d'abord contenir 66% de sucre, à une température de 20 °C.

Pour vérifier ce pourcentage, le classificateur utilise un réfractomètre muni d'un correcteur de température.

La qualité du sirop est ensuite définie d'après sa couleur ou, plus précisément, d'après son pourcentage de transmission de lumière. Le sucrier compare visuellement son sirop à une gamme officielle d'échantillons : plus le sirop est pâle, plus élevé est le classement.

Si le sirop est destiné au commerce, une classification officielle faite par une équipe de classificateurs professionnels succédera à ce premier classement maison. Cela est exigé par une loi canadienne, la *Loi fédérale de classification des produits de l'érable*, instaurée en 1931, et qui s'applique aux acheteurs emballeurs et aux consommateurs.

On classe le sirop en cinq catégories. Il y a d'abord l'extraclair AA, qui permet au moins 75% de transmission de lumière. Vient ensuite le clair A, qui en permet de 60 à 75%. Puis le médium B, de 44 à 60%, l'ambré C, de 27 à 44%, et, enfin, le foncé D, qui permet une transmission de 26%.

Les préposés à la classification, des officiers du ministère de l'Agriculture, travaillent par équipes de trois. Le chef d'équipe est le classificateur; il détermine la couleur, l'épaisseur et la saveur du sirop d'érable. Il est assisté d'un préposé qui vérifie s'il y a adultération, c'est-à-dire falsification du produit. Enfin, un inspecteur inscrit les données fournies par ses deux collègues. C'est ce dernier qui doit voir à l'application de la réglementation en cas de saisie pour adultération ou de défauts majeurs de fabrication. Il est, en outre, responsable de la destruction du produit confisqué après certification par le laboratoire d'analyse.

Dans le cadre de leur travail, les officiers utilisent un spectrophotomètre électronique. D'une source lumineuse contrôlée, cet instrument mesure la quantité de lumière qui traverse un échantillon du produit à classer.

Le sirop d'érable est classé selon sa couleur à l'aide d'un colorimètre. Il s'agit d'un jeu de quatre échantillons de sirop officiellement classé auquel le sucrier comparera son produit en le versant dans un contenant identique. Les deux échantillons avant représentent les couleurs les plus pâles et plus foncée acceptables.

Mais tous les campagnards vous le diront, le sirop qui atteint le plus haut classement n'est pas nécessairement celui que vous préférez. Au ministère de l'Agriculture, des Pêcheries et de l'Alimentation du Québec, on cherche depuis longtemps une méthode d'évaluation scientifique du sirop d'érable fondée sur d'autres qualités que la couleur, sans y être parvenu encore. De fait, il semble difficile de trancher puisque le goût du sirop d'érable varie d'une érablière à l'autre, comme le goût du vin diffère dans chaque vignoble en fonction des éléments nutritifs contenus dans le sol.

En somme, quand des questions de goût interviennent, peut-être vaut-il mieux s'abstenir de toute discussion! Finalement, n'en revient-il pas à chacun de trouver auprès de producteurs artisanaux les sirops d'érable qu'il préfère, selon l'usage qu'il en fera?

LA TIRE ET LE SUCRE

Un évaporateur à eau d'érable est trop grand et peu commode pour la transformation du sirop en tire, en sucre et en beurre d'érable. Par ailleurs, le bassin qui sert à faire le sucre doit être déglacé après chaque utilisation. En fabrication artisanale, on termine la cuisson du sirop dans un bassin simple, sur un poêle plus petit.

Le sucrier continue donc de cuire le sirop d'érable, dont la proportion de sucre, après l'évaporation, augmente encore. Bientôt, signe fort connu des confiseurs, une double goutte se forme sur une cuillère de bois quand on la retire de ce liquide... la tire d'érable est née!

On peut verser cette tire sur de la neige jetée dans un bac, mais cette neige doit être bien tassée et, de préférence, en cristaux. Autrement, le sirop épais et bouillant la traverse, et on le perd. Au contact de cette neige, le liquide chaud refroidit, durcit instantanément et donne une friandise qu'on déguste telle quelle

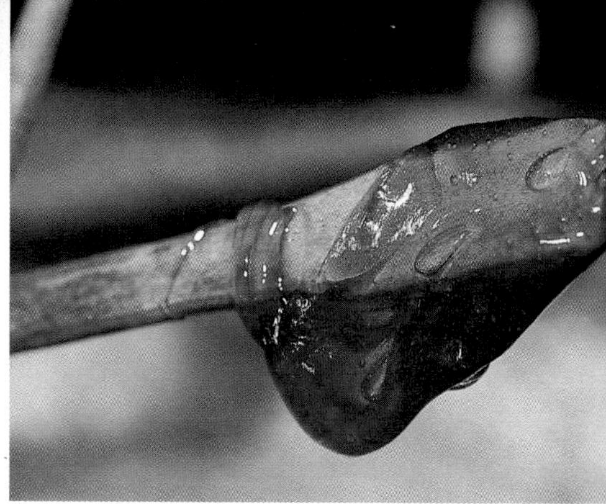

avec une cuillère, une petite palette de bois ou un petit bâtonnet. Voilà! Chaque bec sucré peut alors profiter du plaisir de goûter de la tire sur la neige.

La tire est conservée dans de petits contenants de carton ciré ou dans des boîtes de métal, gardées au réfrigérateur puis chambrées avant de la consommer comme friandise. Si on la garde plus de quelques mois, elle a tendance à tourner en sucre.

Pour obtenir du beurre d'érable et du sucre d'érable, il suffit de continuer à faire bouillir le liquide. Il s'agit, en fait, d'ajouter quelques degrés. À cette fin, le sucrier utilise un thermomètre.

N'importe qui peut faire de la tire, mais seul un sucrier d'expérience réussira le beurre d'érable.

À point nommé, on bat donc le liquide chaud avec une cuillère de bois. Si l'opération est réussie, on obtient un sucre semi-liquide, onctueux, pâle et très fin qu'on peut mettre en conserve ou vendre dans divers petits contenants. On l'utilisera surtout au petit déjeuner pour en tartiner du pain rôti, des muffins, des crêpes et des gaufres, mais on peut aussi le déguster tel quel, à petites cuillérées, par simple gourmandise.

Le processus d'évaporation et de cuisson de l'eau d'érable connaît une fin : la formation du sucre. Et cette fin sera brutale, si le sucrier n'est pas vigilant. De fait, le sucre peut prendre d'un seul pain au fond de la casserole et même brûler, anéantissant alors tous les efforts consentis jusque-là.

La tire d'érable sur la neige est assurément l'un des délices du printemps.

Les moules à sucre ont épousé diverses formes au fil des ans : du simple cube du temps passé aux animaux, maisons, cœurs, etc. d'aujourd'hui.

Quand le liquide commence à tourner en sucre, le sucrier le bat vivement comme on le fait pour le sucre à la crème et le verse dans des moules. C'est à ce point que le sucre d'érable connaît son heure de gloire.

Tout un folklore est rattaché aux moules à sucre d'érable. Les premiers moules étaient faits de quelques planchettes assemblées en un quadrilatère. Cette forme suffisait pour le sucre utilitaire. Mais un produit aussi délicieux devint bientôt une friandise et, avec une friandise, c'est chose reconnue, on se fait des amis!

« Je vous ai apporté des bonbons », chantait Jacques Brel. Cette chanson aurait pu être écrite il y a deux siècles et demi. Les premiers moules pour le sucre d'érable destiné à offrir étaient, on le devinera, en forme de cœur. On imagine assez facilement le sucrier, pendant ses longues périodes d'attente, seul dans sa cabane, éclairé par l'unique feu qu'il attise, en train de sculpter des cœurs dans un bloc de tilleul, en rêvant à la femme qu'il aime. On trouve encore, dans les vieilles cabanes à sucre, des moules parfois centenaires, et il est permis de croire que de nombreux enfants sont sortis de ces moules...

Avec le temps, les moules à sucre ont épousé toutes les formes imaginables tirées du milieu : animaux sauvages et domestiques, feuilles d'érable, petits personnages, maisons, églises et, surtout, cabanes à sucre. Quant aux moules eux-mêmes, ils sont aujourd'hui faits de matière plastique. Ce qu'ils ont perdu en charme, ils le gagnent en sens pratique.

LA PARTIE DE SUCRE

S'IL est une tradition solidement ancrée dans la société québécoise, c'est bien la partie de sucre annuelle. Aujourd'hui, comme hier, on ne saurait laisser passer le printemps sans se rendre au moins une fois à une cabane à sucre, grande ou petite, pour y partager avec ses proches un repas typique.

Dans la société agricole ancienne, les gens entretenaient des liens étroits, et tous les prétextes étaient bons pour se voisiner. À la fin d'un long hiver, il était particulièrement agréable de se retrouver pour apprendre les dernières nouvelles, mettre « à jour » ses commérages et déguster un plantureux repas.

Depuis quelques décennies, cette tradition campagnarde s'est propagée à la ville grâce à la construction, à proximité des grandes agglomérations, de cabanes à sucre immenses pouvant servir quotidiennement des milliers de repas. Ainsi, au printemps, à Mont-Saint-Grégoire, un flot ininterrompu de voitures et d'autobus gravit l'étroite route de la montagne chaque jour de congé, et la foule de joyeux visiteurs s'éparpille dans les nombreuses exploitations qui se partagent les érablières de l'endroit. Ailleurs, à Mirabel, dans Lanaudière, les Bois-Francs et les environs de Québec, on trouve aussi de fortes concentrations de cabanes commerciales.

LE REPAS TRADITIONNEL

L'observateur se demande, et avec raison, comment des citadins exerçant des professions libérales ou effectuant des travaux intellectuels arrivent à consommer un repas conçu à l'origine pour des travailleurs de la forêt. Car, il faut bien l'avouer, le repas traditionnel de la cabane à sucre – le même de la plus humble cabane de ferme à la plus grande exploitation commerciale – conviendrait mieux à un Jos Montferrand[1] qu'au commun des mortels. Qu'on en juge.

Arrivés peu avant le repas, les convives prennent place autour d'une

1. Jos Montferrand : le plus célèbre bûcheron du folklore québécois; il se rendit célèbre en imprimant d'un seul coup de pied l'empreinte de sa botte au plafond d'une taverne de Bytown, aujourd'hui Ottawa.

Si, à la campagne, on peut encore participer à des parties de sucre familiales, aux abords des grandes villes, les parties de sucre donnent lieu à des rassemblements monstres. Ces cabanes à sucre commerciales, de Mont-Saint-Grégoire, au sud-est de Montréal, peuvent accueillir chacune plusieurs centaines de clients par repas.

La Sucrerie d'antan, à Plessisville, une cabane familiale typique de la région des Bois-Francs. Jules et Dolores Malenfant, leurs filles et quelques jeunes personnes de la région y servent à leur clientèle des repas traditionnels dans une atmosphère chaleureuse.

longue table et s'assoient sur des bancs communs. Au centre de cette table sont alignés des pots contenant une variété de marinades préparées par les gens de la maison au cours de l'été et de l'automne précédents, une corbeille de pain de ménage et l'inévitable petit pichet de sirop d'érable.

Déjà, les conversations vont bon train, et les taquineries fusent quand arrivent les « oreilles de crisse ». Les Québécois de souche ont la réputation d'être les plus grands jureurs du monde... après les Espagnols. Ils ne manifestent aucune crainte de l'enfer et trouvent anodin de comparer une couenne de lard aux oreilles du Christ.

Pour confectionner les « oreilles de crisse », les cuisiniers et cuisinières utilisent la partie grasse, préalablement salée, d'un cochon à laquelle le boucher a laissé la peau. Ils découpent d'abord cette pièce en larges bandes, puis chaque bande en tranches minces, en gardant la couenne. Ces tranches sont mises à mijoter plusieurs heures avant le repas. La cuisson leur fait perdre leur gras et ne laisse que la membrane, informe et tordue comme une oreille, légère et un peu salée, qui servira d'amuse-gueule.

Le premier plat chaud est la traditionnelle soupe aux pois. Une bonne soupe aux pois est parfumée, pendant sa cuisson, avec des os de jambon fumé. De petits morceaux de jambon se détachent de l'os et y surnagent. Une telle soupe peut constituer le repas d'un honnête citoyen, surtout si on la consomme avec une ou deux tranches de pain de ménage pétri à la main, cuit sur les lieux et fabriqué avec les ingrédients d'antan.

Pourtant, le plat de résistance n'est pas encore servi. Il consiste en une grande assiette contenant un morceau de tourtière et une ou deux tranches de jambon fumé au bois d'érable accompagnés de pommes de terre, de quelques légumes et d'une généreuse portion de fèves au lard.

La tourtière est une tarte à la viande dont l'appareil, logé entre deux pâtes, est fait de viande de porc assaisonnée et, parfois, allégée avec du veau. Le jambon a été fourni par quelque fumoir des alentours, et les fèves au lard (fayots) ont cuit toute la nuit dans le four. Les connaisseurs verseront un peu de sirop d'érable sur leur jambon, question de faire mieux passer le tout.

On ne consomme pas de vin avec un tel repas, aucun ne convenant. Le mieux est de l'accompagner de thé ou de café.

Cependant, quelques convives omettent le sirop et prennent de la bière.

Comme entremets, on offre des œufs dans le sirop. Il s'agit d'œufs légèrement battus à la fourchette et pochés dans un sirop bouillant. Jadis, on pochait ces œufs dans le « réduit », ce sirop à demi cuit.

Puis on apporte le dessert… crêpes et tartes au sirop d'érable.

Les crêpes, faites à base de farine blanche, sont à pâte sucrée. L'idéal consisterait en une crêpe bretonne ultramince. On apporte plutôt des crêpes petites ou moyennes cuites à la poêle ou, plus rarement, dans la friture, comme des beignets. Ce sont les meilleures! On badigeonne les crêpes d'une généreuse couche de sirop d'érable chambré ou chaud.

Et on couronne ce repas gargantuesque avec la tarte au sirop d'érable dont voici la recette : sur une grande abaisse non cuite, verser une préparation composée de deux œufs, de 175 ml (¾ tasse) de sucre d'érable finement râpé ou de cassonade, de 125 ml (½ tasse) de sirop d'érable et de 90 ml (6 c. à soupe) de beurre salé fondu. Cuire de 35 à 40 minutes. (Donne une tarte de grande taille.)

UNE MARCHE DANS L'ÉRABLIÈRE

Seules une atmosphère détendue et une conversation longue et agréable peuvent faire passer de telles quantités de protides et de lipides. Au bout de quelques heures, les convives, plus que rassasiés, sentent le besoin de se délier les jambes et d'aller marcher dans l'érablière. Anoraks ou canadiennes sont aussitôt endossés, car l'air est encore très frais, et c'est parti!

Plusieurs enfants de la ville vivent ici leur baptême de la forêt. Pour la première fois, ils voient de véritables érables. Des arbres tellement plus grands et majestueux que ceux qu'ils ont vus à la télévision ou admirés dans les livres! Les érables impressionnent les petits parce qu'ils n'ont pas de feuilles et qu'aucun oiseau n'y est perché puisque la gent ailée n'est pas encore revenue du Sud, où elle passe l'hiver. Et lorsque ces enfants voient l'eau d'érable couler, ils insistent pour la goûter. Le fait que ces arbres à l'air sévère donnent une boisson aussi agréable les rassure alors, sans coup férir.

Quant aux adultes, ils en profitent pour respirer l'air pur et frais à pleins poumons et pour rêver de l'été. Les plus jeunes poursuivent leur marivaudage commencé à table et échangent quelques baisers derrière les arbres, dans les coins sombres. Les gens d'âge mûr devisent sagement, et les personnes âgées revivent leur jeunesse en pensée. Ah! Quel beau moment de détente!

UN TOUR D'ATTELAGE

Au milieu de l'après-midi ou de la soirée, selon l'heure à laquelle le repas est servi, l'hôte attelle des chevaux à un grand traîneau ou à une voiture – quoique le tracteur remplace parfois les chevaux –,

Une partie de sucre constitue souvent, pour les citadins, leur premier contact avec la nature et le monde agricole, parfois même le seul. Profitant des premiers jours doux du printemps, les enfants exécutent des cabrioles, les parents leur expliquent la coulée des érables, les jeunes adultes marivaudent et le plaisir atteint son comble quand on peut faire un tour de charrette à chevaux.

y dispose des bancs et des bottes de paille, et invite les intéressés à un tour d'attelage. Il en faudra plusieurs afin de satisfaire tout le monde.

Le propriétaire en profite alors pour raconter l'histoire de son érablière et parfois même celle de sa famille et des autres érablières de la région. S'il est loquace, il ajoute des récits et des légendes qu'il présente, il va de soi, comme la pure vérité. Puis, il se fait habituellement un plaisir de répondre aux inévitables questions des jeunes et des moins jeunes : Quel âge ont les chevaux? Combien d'années vivent-ils? Que fait le sucrier le reste de l'année? Est-ce là un métier d'aveni? Ses enfants prendront-ils la relève? En somme, ce n'est pas tous les jours qu'il nous est donné de causer avec un homme de la campagne. Alors, pourquoi ne pas en profiter!

SAUCER LA PALETTE

La marche au grand air et le tour d'attelage ont fait passer le temps, et un peu de sucre favoriserait la digestion. Enfin... c'est ce qu'on dit! Qu'à cela ne tienne, le sucrier vous at-

tend pour « saucer la palette » et goûter à la tire sur la neige.

Sur un petit poêle qu'il installe souvent en plein air, il fait réduire le sirop qu'il destine à la transformation en tire. Mais l'attente est longue et, pour passer le temps, il prête à chacun une palette en bois d'épinette blanche ou de tilleul, deux essences d'arbres à bois insipide qu'on trempe dans le sirop épais et bouillant et dont on lèche le dépôt sucré, après l'avoir fait refroidir en l'agitant dans l'air. Les puristes de la santé s'inquiètent d'une telle pratique, qui pourrait, selon eux, favoriser la transmission de maladies, mais ils sous-estiment la valeur médicinale du sirop d'érable. En réalité, personne n'a encore prouvé qu'un microbe peut résister à un bain forcé dans le sirop d'érable bouillant!

Plus la cuisson avance, plus le sirop épaissit sur les palettes. Quand il menace de tourner en sucre, le sucrier le verse sur les bacs de neige, en longs filets, et tous se réunissent pour goûter la dernière friandise de la journée, la tire sur la neige.

Le sucrier, Jean-Marc Tanguay, profite du soleil pour faire réduire du sirop en plein air. Quand ce dernier est assez épais pour bien napper une cuiller de bois, une foule de gamins se presse autour du grand bac pour « saucer la palette ». Il semble que cette pratique séculaire, que condamneraient bien des hygiénistes modernes, ne soit pas un facteur de propagation du rhume. Il faut croire que le sirop d'érable bouillant est un puissant désinfectant. Comme le sirop devient de plus en plus épais, on peut maintenant le verser sur la neige pour en faire de la tire. Ce sera la dernière friandise de la journée.

Pages suivantes
Dans cette entreprise de taille moyenne, de type traditionnel, l'ancien côtoie le moderne.

Ainsi, le tracteur remplace le cheval mais le tonneau de bois sert encore au transport de l'eau d'érable.

DÉTOURNEMENT DE CŒUR

De mémoire d'homme, une partie de sucre a toujours été l'occasion idéale de faire la cour aux « fumelles », comme dirait le chanteur Ricet Barrier. De nombreuses personnes des deux sexes et de tous âges se rencontrent en un lieu exotique, aux premiers jours du printemps, dans un esprit de fête : il est inévitable que des cœurs s'enflamment.

Un jour, pourtant, l'une des ces rencontres a mal tourné. Un homme fut accusé de séduction ou, en d'autres mots, de « détournement de cœur ». C'était en 1707. Madeleine Maugras, de Batiscan, s'adresse au tribunal de Trois-Rivières pour obtenir justice contre Jean-Baptiste Dubord, dit La Tourelle, de Berthier, qu'elle accuse de séduction. La plaignante ne pardonne pas à l'accusé de lui préférer une de ses copines. C'est à la cabane à sucre que le don Juan a rencontré les deux jeunes femmes. Dans sa défense, le présumé bourreau des cœurs argua que c'est bien malgré lui qu'il était resté seul pendant un quart d'heure avec dame Maugras, car la compagne de cette dernière était partie chez elle quérir des victuailles. Il n'avait, affirma-t-il à la cour, que parlé de choses et d'autres… Il fut acquitté.

LA CUEILLETTE INDUSTRIELLE

Si les cabanes à sucre artisanales et commerciales sont les plus nombreuses, cela ne signifie pas qu'elles génèrent, au total, la plus grande quantité de sirop d'érable. En fait, les grandes exploitations – celles de 10 000 entailles et plus – sont celles qui produisent le plus de sirop. Et elles laissent à des spécialistes le soin de le transformer en sucre.

Si, dans les exploitations artisanales, on utilise encore les goutterelles et les seaux pour recueillir l'eau des érables, dans les grandes exploitations, on le fait à l'aide de tuyaux. À des entailles petites, mais nombreuses, sont appliquées des goutterelles minuscules reliées à des tuyaux de matière plastique. Chaque érable est ainsi rattaché à son voisin, et leur eau est acheminée jusqu'à la cabane par de véritables pipelines.

Un système de pompes contribue non seulement à faire circuler le liquide, mais sert aussi à appliquer une légère force de succion sur l'arbre, afin d'en tirer le maximum d'eau possible. Certains tenants du respect de la nature n'approuvent pas cette pratique, mais ses effets négatifs, s'il en est, ne sont pas mesurables. Au contraire, des chercheurs[1] ont calculé, en tenant compte de la quantité d'eau d'érable récoltée – 50 litres par arbre –, de sa teneur en sucre et de la réserve d'amidon contenue dans l'arbre, que seulement 4,5% des réserves en sucre de l'érable étaient prélevées au cours d'une saison de récolte. Et ce prélèvement n'affecte ni la vie ni la croissance des arbres.

Une exploitation industrielle typique : l'érablière de monsieur Donald Lapierre, à Milan, qui compte plus de 100 000 entailles. Ici, pas de temps ni de place pour les visiteurs. En ce jour où les érables ne coulent que modérément, seuls deux évaporateurs sur trois sont en fonction. Pourtant, la production dépassera aujourd'hui les 700 litres à l'heure!

CONCENTRATION PAR OSMOSE INVERSÉE

Le propre de toute industrie est de chercher à produire au meilleur coût possible. Après avoir, grâce aux pipelines, réduit les frais de cueillette, les sucriers industriels ont cherché à diminuer les déboursés occasionnés par l'évaporation. C'est dans les pays pauvres en eau qu'ils ont trouvé la réponse.

1. Renaud et Allard. Communication personnelle, *L'Érable à sucre, caractéristiques, écologie et aménagement,* gouvernement du Québec, MAPAQ, 1995.

L'eau d'érable est acheminée à la cabane industrielle par un réseau de tuyauterie complexe. Ce producteur a choisi des tuyaux de couleur blanche dans le but de prévenir aux maximum la prolifération de bactéries dans la tuyauterie même.

La pénurie d'eau potable est telle, dans certaines contrées, qu'on est astreint à utiliser l'eau de mer préalablement dessalée. Des scientifiques ont mis au point des filtres très fins aux fibres si microscopiques qu'elles laissent, par osmose, passer une partie de l'eau douce, mais retiennent le sel avec le reste d'eau. On garde alors l'eau douce et on rejette le concentré de sel.

Quelqu'un eut un jour l'idée d'utiliser les mêmes filtres pour retirer une partie de l'eau douce de l'eau d'érable… et le succès fut instantané. L'eau d'érable, qui contient 2 à 3% de sucre, est poussée à l'intérieur d'un cylindre. Elle y rencontre un filtre semi-perméable qui laisse passer une partie de l'eau pure. À la sortie, on retrouve d'un côté de l'eau pure, et de l'autre, l'eau d'érable concentrée dont la teneur en sucre et en sels minéraux atteint jusqu'à 8%. Si, de l'eau de mer, on rejette le sel, ici, on élimine l'eau douce. Voilà pourquoi on dit de ce procédé qu'il agit par osmose inversée.

L'économie réalisée à l'évaporation est de deux ordres. D'une part, on épargne les deux tiers du carburant ainsi que du temps d'évaporation, ce qui se traduit par une réduction du budget. D'autre part, on peut, avec un évaporateur trois fois plus petit, produire la

même quantité de sirop, ce qui a pour effet de diminuer l'investissement en matériel.

Pourtant, les évaporateurs des exploitations industrielles ne sont pas petits. Ce sont d'énormes bouilloires capables de fournir des centaines de litres de sirop par heure. Mais, aussi sophistiqué que soit l'équipement moderne, le sucrier doit toujours suivre les règles de l'art s'il veut obtenir un sirop de très haute qualité.

LES PRODUITS DE L'ÉRABLE

Si l'on fait exception du vinaigre d'érable dont il est question, en 1721, dans les écrits du missionnaire jésuite Pierre-François-Xavier de Charlevoix, près de trois siècles se sont écoulés entre le moment où l'on a découvert le sucre d'érable et celui où l'on a commencé à diversifier les produits que l'on peut tirer de l'« arbre confiseur ».

En fait, l'industrie de la transformation du sirop et du sucre d'érable en produits divers en est encore à ses balbutiements. À ce titre, la conversion des pains de sucre d'érable en sucre granulé n'est effectuée que par quelques individus seulement qui gardent jalousement leurs petits secrets industriels.

La première étape de mise en marché que doit franchir toute industrie est l'emballage, et l'industrie acéricole en est encore là! La présentation du sirop et du sucre purs en contenants attrayants évolue encore. Il y a 30 ans, on ne vendait le sirop qu'en « canistres » d'un gallon (mesure anglo-saxonne). Puis, on le mit en cannettes de 540 millilitres, soit un huitième de gallon anglais, éloquent aveu pour un pays qui se targue d'utiliser le système métrique. C'est dans ce format qu'on le trouve encore aujourd'hui dans nos épiceries.

Une pression d'air est maintenue dans le pipeline afin d'activer la circulation de l'eau d'érable, et des soupapes avec contrôle de niveau assurent un débit maximum soutenu. En fin de course, l'eau d'érable se déverse dans un énorme réservoir dont la fonction est de fournir une quantité suffisante d'eau d'érable aux évaporateurs pour qu'ils puissent fonctionner à plein régime. Avec leurs pompes, leurs cadrans et leurs filtres, ces deux systèmes d'osmose inversée représentent le nec plus ultra de l'équipement acéricole.

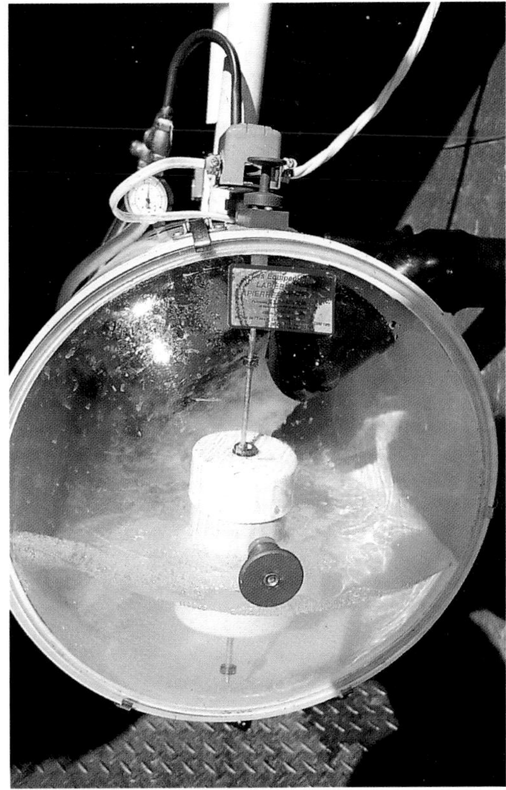

Le procédé d'osmose inversée permet de retirer de l'eau d'érable la plus grande partie de l'eau douce qu'elle contient, avant même de la faire évaporer, ce qui se traduit à la fin du processus par une importante économie de temps et de carburant.

Il y a deux décennies, on commença à offrir des emballages-cadeaux. Ainsi, on trouva peu à peu des petites fioles de sirop et de minuscules carrés de sucre pur dans les magasins des aéroports et dans les boutiques souvenirs des villes à vocation touristique.

Aujourd'hui, on vend du sucre d'érable aux États-Unis, où des producteurs de tabac – surtout du tabac à pipe – l'incorporent à leurs produits.

Depuis peu, le sucre d'érable granulé à gros grains parfume certaines marques de crème glacée. Quant au sucre d'érable granulé fin et mis en sachets comme le sucre de canne, on en retrouve dans quelques restaurants. Récemment, j'ai même découvert une vinaigrette à l'érable. Son emballage était fort réussi; beaucoup mieux, certainement, que le produit lui-même. Mais quelqu'un fera mieux! En effet, la Société des alcools du Québec a mis sur le marché quelques produits alcoolisés parfumés à l'érable d'excellente qualité, mais qui n'ont pas encore conquis un vaste public.

C'est en confiserie que l'on a effectué le plus de progrès. Le sucre d'érable est très parfumé. C'est à la fois sa première qualité et son plus grand défaut. Ainsi, un kilo de sucre d'érable granulé oublié dans une cuisine taquinera davantage l'odorat que toutes les épices réunies. Voilà donc là tout le défi du confiseur qui veut incorporer le parfum et la saveur du sucre d'érable dans ses produits sans l'imposer aux consommateurs.

PORTRAIT DE L'INDUSTRIE ACÉRICOLE

On quantifie la production de sirop d'érable en poids de sirop produit, la mesure étant la livre anglaise. Quand, le 7 février 1931, on instaura la *Loi fédérale de classification des produits de l'érable*, le pays comptait déjà 25 millions d'entailles et produisait autant de livres de sirop d'érable, dont 80% provenait du Québec.

Depuis ce jour, l'exploitation des érables a connu des hauts et des bas à un point tel que le nombre total d'entailles n'a pas beaucoup augmenté. Par contre, le nombre de producteurs a diminué. Au Québec, il est passé de 17 000 à 10 000 au cours des 15 dernières années. Néanmoins, le nombre d'entailles s'est stabilisé à 20 millions. En somme, plusieurs producteurs artisanaux ont mis le cadenas à leur cabane alors que les producteurs industriels augmentaient leur production et, grâce à des méthodes améliorées, doublaient le rendement de leurs érablières.

L'acériculture est, de toutes les activités agro-forestières québécoises, celle qui regroupe le plus grand nombre de producteurs. Parce qu'elle a su, au cours des 20 dernières années, se transformer en un secteur de production spécialisé, mécaniser son industrie, mettre au point des techniques et développer des méthodes modernes de cueillette et de transformation de l'eau d'érable, l'acériculture n'est plus considérée comme une production marginale source de maigres revenus d'appoint. En réalité, bon nombre de fermes en tirent un revenu complémentaire, alors que les plus grandes exploitations – 30 000 entailles et plus – permettent à leurs propriétaires de bien vivre.

Malgré les difficultés relatives, entre autres, à la diversification et à la commercialisation de ses produits, l'acériculture occupe le quatrième rang en importance en ce qui a trait aux recettes monétaires de l'ensemble des productions végétales. Nous le répétons, l'acériculture québécoise produit aujourd'hui, à elle seule, 70% de la production mondiale de sirop d'érable, ce qui place le Québec au premier rang dans ce domaine. La production mondiale de sirop est passée de 52 millions de livres en 1984 à quelques 75 millions à ce jour. De ce total, les sucriers du Québec tirent de leurs arbres jusqu'à 55 millions de livres de sirop, certaines années, dont la valeur totale se chiffre à tout près de 100 millions de dollars. Quant à nos voisins, ils suivent de très loin. Le Nouveau-Brunswick produit 2,5 millions de livres de sirop; la Nouvelle-Angleterre et le reste des États-Unis, environ 5 millions de livres chacun.

Bien que le centre de la production se déplace de plus en plus vers le nord et vers l'est, la région de Beauce-Appalaches tient le premier rang de la production de sirop d'érable au Québec, avec 38% de la production totale du Canada. La grande région de Québec fournit 22% ; les Bois-Francs, 10%; les Cantons-de-l'Est, 9%, *ex aequo* avec le Bas-Saint-Laurent; et Lanaudière, les Laurentides et l'Outaouais réunies, 9%.

Paradoxalement, les régions qui retirent la plus grande part des recettes de l'acériculture sont celles dont le potentiel agricole est le plus limité. En effet, le secteur acéricole peut, dans ces régions, être qualifié de stabilisateur des populations rurales puisque, en plus de la production, la transformation des produits de l'érable s'y effectue dans sa presque totalité.

Un des impondérables du métier d'acériculteur est la fluctuation de la production en fonction des facteurs climatiques. En réalité, des différences considérables peuvent être notées d'une

Cet évaporateur moderne et rutilant fait l'orgueil de son propriétaire autant par sa fière allure que par la qualité du sirop qu'il donne.

année à l'autre. Ainsi, à cause d'un temps particulièrement favorable, la production de 1988 a été de 66% supérieure à celle de 1987. De telles variations entraînent également une fluctuation des prix et, parfois, une accumulation de surplus dont la gestion pose des problèmes. Car, contrairement au vin, le sirop d'érable ne se bonifie pas avec le temps... Si les prix de vente baissent trop, un certain nombre de producteurs cessent d'entailler et, quand reviennent les bonnes années, ils passent à côté du profit.

CONSOMMATION ET EXPORTATION

Malgré le fait qu'ils soient hautement appréciés, les produits de l'érable ne sont pas tous consommés chez nous. La majeure partie est exportée.

Depuis 1987, il se consomme annuellement, sur le marché mondial, quelques 60 millions de livres de sirop. Cette consommation est répartie comme suit : 11% au Québec, 6% dans le reste du Canada, 75% aux États-Unis et 8% ailleurs sur la planète.

Fait étonnant, notre principal client est les États-Unis, dont la consommation est en progression constante. Nos voisins américains connaissent et apprécient le nectar de l'érable. Au siècle dernier, ils en produisaient même plus que nous! Cependant, la croissance de leur population, la réduction du nombre de leurs érablières causée par le phénomène d'urbanisation et le réchauffement du climat ont entraîné un déficit de leur production. Pour toutes ces raisons, les Américains doivent aujourd'hui importer la plus grande part de notre sirop pour satisfaire leurs besoins. Comme les producteurs d'outre-frontière ont déjà leur clientèle, ils achètent notre production en vrac et la transforment chez eux. Nous n'avons pas à transporter nos barils de sirop bien loin! À lui seul, le Vermont accapare 40% de nos exportations outre-frontière.

Pour le moment, notre deuxième plus important client est l'Allemagne, qui achète, également en vrac, un demi-million de litres par année. Pourtant, c'est vers le Japon que lorgnent nos producteurs. Ce pays, notre troisième client en importance, compte un million de millionnaires qui peuvent tout se payer... et qui le veulent. S'il advenait que leur passion pour le sirop d'érable en vienne un jour à égaler celle qu'ils manifestent déjà pour le cognac, de nos érables coulerait de l'or!

Ces évaporateurs dernier-cri fonctionnent au pétrole et demandent une supervision minimale, ce qui laisse tout son temps au sucrier pour accorder une attention soutenue à la production d'un sirop de première qualité.

OBSTACLES À LA MISE EN MARCHÉ

La mise en marché d'un produit de consommation est une science et un art. Les spécialistes de la question rencontrent, dans l'exercice de leur travail, une foule de difficultés que le commun des mortels ne peut même pas imaginer!

Le seul emploi du mot « sirop » soulève, par exemple, des problèmes énormes. Ainsi, en Europe francophone, l'appellation « sirop » renvoie à la notion de médicament. Mais une autre définition consiste en un concentré sucré à base de menthe, de cassis ou d'une autre substance auquel on ajoute de l'eau afin d'obtenir une boisson rafraîchissante non alcoolisée. Comment faire comprendre à nos cousins d'outre-Atlantique que notre sirop d'érable n'a rien à voir avec tout cela? On a déjà utilisé l'expression « sève d'érable concentrée », mais elle est fausse et ne correspond pas à la réalité, puisque le sirop est fait avec de l'eau d'érable et non avec de la sève.

Parfois, la législation locale constitue un obstacle en soi. Aux États-Unis, par exemple, il suffit qu'un liquide contienne 2% de sucre pour que l'appellation « sirop » s'applique. Chez nous, la loi exige une proportion de 66% de sucre et de sels minéraux pour désigner du sirop d'érable.

Et le coût du produit représente aussi une autre barrière à sa propagation. En effet, le sirop d'érable coûte beaucoup plus cher à produire que le « sirop de table » fabriqué à partir du sucre de canne. Aussi, ne le trouve-t-on que sur les meilleures tables.

Par ailleurs, la mode est aux mannequins anorexiques, et le sucre a bien mauvaise presse! Comment enseigner aux consommateurs que le sucre d'érable contient 60% moins de calories que le sucre blanc?

Enfin, la consommation des produits de l'érable est saisonnière. Comme le veut le dicton, on se « sucre le bec » au printemps, puis on oublie les produits de l'érable le reste de l'année. Pourtant, il suffirait que l'Amérique remplace le sucre blanc de son café par du sucre d'érable... et l'acériculture aurait bien meilleure mine!

TRANSFORMATION

Malgré l'importance de nos exportations et l'immense potentiel des marchés vierges qui restent à conquérir, les observateurs croient qu'il ne faut pas chercher ailleurs que chez nous la clef du développement de l'industrie acéricole. Et cette clef, c'est la transformation. À l'heure actuelle, seulement 1% de notre production est transformée. Et la quasi-totalité de cette transformation se limite à la mise en marché de produits à base de sucre, de beurre et de tire d'érable. Mais il semble que les petits artisans aient récemment compris et qu'ils tentent de sortir de cette impasse puisque, de tous les coins des régions acéricoles, surgissent chaque semaine de nouveaux produits. Le défi sera alors de les amener à franchir nos frontières.

FESTIVAL DE L'ÉRABLE

Le meilleur temps pour découvrir les produits de l'érable et, surtout, les nouveautés créées par les artisans qui s'adonnent à la transformation du sirop et du sucre d'érable est, sans contredit, le Festival de l'érable, qui a lieu chaque année à Plessisville depuis bientôt 40 ans.

Dans tous les pays du monde, on souligne la fin des récoltes par une fête souvent accompagnée de danses, d'un festin et de manifestations publiques. Dans les grandes plaines, la Fête des moissons a sa place au calendrier. Dans les régions viticoles, c'est la Fête des vendanges. Chez nous, après la saison des sucres, au début mai, on célèbre le Festival de l'érable.

Dans le domaine de l'acériculture, Plessisville est reconnue comme la capitale mondiale de l'érable à sucre. Au départ, sa situation géographique l'avantageait. En effet, cette ville de taille modeste, mais des mieux tenues, se trouve au cœur de la région des Bois-Francs. Les « bois francs » désignent, chez nous, les essences à bois dur, soit les arbres à feuilles caduques, dont l'érable à sucre, qui domine dans ces lieux.

C'est là qu'est installée Citadelle, la principale coopérative de production de sirop d'érable au monde. Elle regroupe quelques 2600 producteurs. Si elle ne se livre pas à la transformation des produits de l'érable, Citadelle, par contre, voit à l'emballage et à la mise en marché non seulement au Québec, mais partout dans le monde.

C'est à Plessisville qu'on a érigé le Musée de l'érable. Son acquis comprend une collection intéressante de goutterelles, des jougs à hommes et à bêtes, des seaux, des baquets et des barils de bois, des raquettes, des moules à sucre, enfin, tout le nécessaire au profit de l'exploitation de l'érable à sucre comme on la pratiquait jadis. Ce musée est aussi doté de salles de réunions. Sis au Carrefour culturel et touristique de l'érable, il peut recevoir, les jours de fête, des milliers de visiteurs.

Défilé de chevaux de trait devant le Musée de l'érable, à Plessisville. Si le tracteur a détrôné le cheval pour l'exécution des travaux de la ferme, le cheval demeure la plus belle conquête de l'homme; il sera la grande vedette du Festival de l'érable, une fête annuelle qui marque la fin de la récolte des sucres.

Beaucoup de fermiers s'installent autour de l'église de Plessisville, la capitale mondiale de l'érable à sucre, pour deux jours de festival. On peut juger de leur prospérité par la valeur de leurs véhicules.

Et c'est, en effet, par milliers que les visiteurs de tout le Québec et, souvent, des délégations entières d'étrangers séjournent dans la région des Bois-Francs tout au long du Festival de l'érable. Une tente gigantesque est alors dressée à côté du musée; elle servira de hall d'exposition. Les activités les plus diverses se dérouleront, selon le cas, dans les salles du musée ou en plein air.

Le Festival débute habituellement un vendredi soir, par une danse endiablée qui attire surtout la jeune génération. À cet âge, un trop-plein d'énergie justifie tous les excès sans que les lendemains soient hypothéqués.

Les adultes préfèrent arriver le samedi. Bon nombre logent en tout confort, dans de spacieuses roulottes qui forment un village temporaire autour de l'église. Ils s'y installent pour deux jours, généralement avec des amis, et visitent ensuite l'exposition.

Sous la grande tente de couleur qui déploie une joyeuse lumière jaune, trois expositions sont en cours.

Dans la première, les producteurs de sirop et de sucre d'érable peuvent y examiner de près le matériel acéricole dernier cri, celui qu'ils auraient aimé utiliser au cours de leur dernière récolte et qu'ils rêvent de s'offrir... si le profit de l'année est bon.

Dans une aire connexe, les tout derniers produits nés de la transformation du sirop et du sucre d'érable sont étalés. Qu'il s'agisse de bonbons, de chocolats ou d'autres friandises, tous sont offerts dans des emballages plus attirants les uns que les autres.

Enfin, la dernière exposition, et non la moindre, fait appel aux qualités artistiques des enfants. Dans cet esprit, les élèves des écoles de la région sont

invités à représenter, par le dessin ou par la réalisation d'une maquette, des scènes du temps des sucres. Voilà comment l'acériculture devient partie intégrante de la culture des générations montantes!

Le Festival de l'érable donne l'occasion aux enfants de partiper à un concours de dessins et de bricolage. Ils exposent fièrement leurs oeuvres dans la grande tente jaune dont la lumière dorée trahit leur anxiété.

LA « TIRE DE CHEVAUX »

Le visiteur étranger au Festival de l'érable vient à peine d'apprendre, par l'ouïe, la vue et le goûter, ce qu'est la tire d'érable, qu'il entend déjà parler de « tire de chevaux »! C'est à s'y perdre, mais, en réalité, il n'y a pas de quoi tiquer.

Au Québec, le mot « tire » peut avoir plusieurs sens. Une « tire de chevaux » consiste en une épreuve de force au cours de laquelle des attelages doivent tirer ou traîner une charge considérable. Des blocs de béton sont posés sur un traîneau d'acier que les chevaux doivent faire avancer d'au moins 15 mètres. Au fur et à mesure, des attelages s'éliminent par l'ajout constant de blocs.

Ce concours est spectaculaire! Il débute le samedi après-midi par la parade de chevaux magnifiques qui défilent avec leurs propriétaires, non moins fiers, devant le Musée de l'érable et la foule agglutinée sur les gradins extérieurs. On classe les attelages en trois catégories, selon le poids des bêtes.

Comme aux premiers essais, dans une joute athlétique, les chevaux sont posés et dociles. Mais l'esprit de compétition les gagne bientôt, et la tension monte rapidement. Certaines bêtes se cabrent quand on ne satisfait pas leurs caprices, mais, une fois l'ordre rétabli, on assiste à des démonstrations de force qui feraient pâlir Hercule lui-même.

Réchauffés, confiants, les muscles saillants, ces « olympiens à sabots » battent lourdement le sol, soulèvent des

nuages de poussière et déplacent des charges de plusieurs tonnes sous les applaudissements des connaisseurs.

Dans les gradins, on parie fort. Puis, l'épreuve terminée, les admirateurs se regroupent autour des chevaux gagnants pour les scruter de près et s'entretenir avec les palefreniers.

Le soir venu, des spectacles de folklore et un feu d'artifice clôtureront cette journée mémorable.

Le dimanche matin, les cloches de l'église paroissiale, qui semblent s'en donner à cœur joie, réveillent les habitants de la petite ville ainsi que les visiteurs installés dans le « village de roulottes » et les convient à une messe d'Action de grâces, un témoignage de reconnaissance pour la récolte qu'on vient tout juste de terminer.

Le midi, on participe à la plus grosse partie de sucre du monde. Là, quelques milliers de convives dégustent le menu gargantuesque typique de la cabane à sucre.

Bien repue, la foule prend de nouveau place dans les gradins pour assister, cette fois, au concours de « bûcheux », terme populaire pour désigner, chez nous, le bûcheron.

Les finalistes doivent remporter diverses épreuves, comme abattre un arbre à la hache le plus rapidement possible, scier une bille (pièce de bois) à la scie manuelle ou à la tronçonneuse, grimper le plus vite qu'on le peut jusqu'au faîte d'un sapin ou, à l'aide d'une perche, faire basculer un adversaire dans un bassin d'eau en étant soi-même juché sur une bille flottante.

Bien que des concours de ce genre existent dans tous les pays où on exploite la forêt, il est toujours intéressant d'admirer la force et la dextérité de ces hommes jeunes et costauds, dont l'allure diffère si nettement de celle des éphèbes internautes des villes qui naviguent sur Internet.

Puis chacun rentrera chez soi avec, en mémoire, une multitude d'images et de souvenirs; en poche, les coordonnées de nouveaux amis; et, au cœur, la satisfaction tranquille que procure la réussite des travaux de la terre.

Lors de l'épreuve de force réservée aux chevaux, ces derniers doivent déplacer une charge de blocs de béton pesant plusieurs tonnes. Certains refusent et se cabrent, d'autres donnent la preuve de leur courage et de l'adresse de leur conducteur.

Deuxième partie

LA VIE DE L'ÉRABLIÈRE

L'ÉRABLIÈRE AU PRINTEMPS

Bien que le 21 mars, premier jour du printemps, l'érablière bourdonne d'activité, l'érable à sucre, lui, dort. Pourtant, la nuit venue, quand le sucrier a regagné sa maison ou roupille encore dans sa cabane, un des hôtes de l'érablière se réveille. Il bâille un peu, détend ses muscles ankylosés par quatre mois de sommeil, sort de sa cachette, hume l'air frisquet, et part à la conquête des belles.

L'écureuil roux, actif le jour, quitte la forêt de conifères et se lance dans de longues incursions dans les érablières du voisinage. Il espère surtout y chaparder un peu d'eau d'érable. En fait, il est prêt à tout pour satisfaire sa gourmandise! Aussi, n'hésite-t-il pas à trancher, à coups de dents, les tuyaux des pipelines à eau d'érable pour atteindre leur contenu. Afin de pallier un tel fléau, tout acériculteur possède une trappe grâce à laquelle il prend les écureuils vivants et les transporte loin de son érablière.

Le temps devient de plus en plus doux… et la sève vient gâter l'eau d'érable. Le sucrier rentre alors son matériel, le lave en profondeur et le remise avec soin, gardant en mémoire ou notant les modifications ou les améliorations à apporter avant la prochaine saison.

Dernière chute de neige : la cabane est prête à accueillir le sucrier. La seule présence de cette trappe à écureuils nous rappelle que ces rongeurs gourmands peuvent mettre un pipeline hors d'usage d'un seul coup de leurs dents acérées.

Érable à sucre en fleurs. De loin, on pourrait confondre ses fleurs verdâtres avec des feuilles en train de s'épanouir; ce serait se méprendre. À ces fleurs s'ajouteront bientôt les premières feuilles.

L'ÉRABLE EN FLEURS

Aux premiers jours de mai, l'érable s'éveille enfin, mais très lentement. Sa sève commence à circuler et rejoint les bourgeons, qui reprennent leur croissance au point où ils l'avaient laissée l'automne précédent.

Il est bon de préciser ici que les bourgeons avaient amorcé leur formation immédiatement après la chute des feuilles. Ils étaient tombés dans un état de dormance dès les premiers froids mais, entre la mi-janvier et la mi-février, contre toute attente, un déplacement marqué du potentiel de leur débourrement depuis les bourgeons auxiliaires vers le bourgeon terminal de chaque branche s'est produit, déplacement qui n'est pas dû au mouvement de la sève, mais bien à une transformation physiologique due au froid.

La quantité d'amidon dans les bourgeons commence à augmenter après le débourrement de ces derniers. Elle atteint son apogée à la fin février.

Voilà maintenant qu'ils se mettent à gonfler à vue d'œil. Bientôt, ils éclatent, et des fleurs apparaissent. L'érable tout entier se couvre de milliers de fleurs d'un jaune verdâtre, minuscules, délicates, des fleurs qui, de loin, peuvent sembler être des débuts de feuilles si on n'est pas un observateur averti.

Le même arbre porte des fleurs mâles et femelles. Les fleurs mâles dominent; on en dénombre 10 à 50 pour une seule fleur femelle. On croit que les fleurs mâles et les fleurs femelles d'un même érable à sucre n'arrivent pas à maturité au même moment. En fait, ce mécanisme naturel préviendrait la consanguinité. La pollinisation des fleurs femelles s'effectue par anémochorie. En d'autres termes, ces fleurs comptent sur le vent pour leur apporter le pollen de fleurs mâles provenant d'un autre érable.

La fleur de l'érable à sucre est extrêmement fragile au gel. Si, d'aventure, cet arbre est frappé par le froid en pleine floraison, sa croissance radiale en sera affectée. On a constaté qu'elle pouvait même diminuer de 12% dans la saison qui suit le gel.

Après la floraison printanière, les fleurs mâles tombent au sol avec leur pédicelle, tandis que les fleurs femelles non fécondées vont former un fruit sans graine. Ces samares auront la même taille que les fruits normaux. Chez les fleurs où la fécondation se révèle un succès, les fruits commencent à se développer sans délai, souvent même en présence des stigmates et des étamines.

Comme les samares de l'érable à sucre sont doubles, on les appelle disamares. Elles sont composées de deux ailes réunies à la base et contiennent en général deux graines, bien que, fréquemment, elles n'en aient qu'une. L'érable à sucre produirait une importante quantité de graines à des intervalles de deux à cinq ans. Ce cycle de production est dû à la génétique de l'espèce et aux conditions climatiques : le printemps qui suivra à un été chaud et pluvieux, l'érable produira une grande quantité de fruits.

Les feuilles succèdent aux fleurs et grandissent à un rythme accéléré, en même temps que les fruits croissent. Un état de fébrilité s'est emparé de la nature; même les arbres vibrent. Comme la saison de croissance de l'érable à sucre ne dure que 75 jours, chaque minute compte.

UNE LUTTE À FINIR

Les espèces ligneuses se livrent entre elles une chaude compétition afin d'accaparer la lumière. Ainsi, le tremble et le peuplier faux-tremble se hâtent de former leurs feuilles très tôt en saison, avant toutes les autres essences, et croissent très rapidement. D'autres espèces, tels les noyers et les frênes, se couvrent de feuilles immenses composées de nombreuses folioles. Certains, comme l'aulne et le mélèze, choisissent des terrains inhospitaliers. Enfin, quelques-uns en sont réduits à vivre très vieux, tels le chêne et le caryer.

La meilleure façon de s'emparer de la lumière est d'occuper le territoire, et l'érable y arrive de deux manières. Il fait d'abord beaucoup « d'enfants », puis élimine ses compétiteurs.

La germination des graines de l'érable à sucre se produit tôt au printemps, dès la fonte des neiges. Ces graines étaient en dormance depuis l'automne. La levée de la dormance et la germination exigent une température optimale de 5 °C. Les graines de l'érable à sucre atteignent un taux élevé de germination pouvant atteindre, au cours des bonnes années, 95%. En d'autres mots, cela représente le chiffre astronomique de 20 millions de fruits par hectare dans une érablière adulte. Et ces graines produisent autant

La pollinisation des fleurs de l'érable s'effectue par anémochorie, c'est-à-dire par l'action du vent. Les scientifiques sont d'avis que les fleurs mâles et les fleurs femelles d'un même arbre n'arrivent pas à maturité en même temps; ce mécanisme naturel préviendrait la consanguinité.

de petits arbres, dont l'ombre couvre le sol et empêche les espèces compétitrices de croître.

Par ailleurs, l'érable possède une arme étonnante pour défendre ses positions : il empoisonne littéralement ses ennemis! Ce phénomène, récemment découvert, s'appelle allélopathie et se caractérise par la sécrétion de toxines susceptibles d'inhiber la croissance d'un concurrent.

En somme, grâce à ses systèmes de défense, l'érable à sucre réussit à occuper une aire de distribution importante, où il s'impose comme espèce dominante. Quelques bouleaux jaunes, certains frênes, des tilleuls, des hêtres ou un peu de pruches réussissent à dénicher un petit coin dans les érablières, mais l'érable à sucre domine dans tout le sud du Québec.

Ces arbres secondaires peuvent avoir un effet dévastateur ou bénéfique pour l'érable. La moins souhaitable de toutes les essences est la pruche, qui crée un sous-bois sombre et une litière très dense et très acide. Mais le hêtre est aussi un ennemi sournois qui attend son heure pour frapper. Si le forestier effectue une coupe à blanc dans une érablière, le hêtre en profite pour supplanter l'érable en acidifiant la litière par ses feuilles mortes.

D'autre essences, au contraire, bonifient le sol de l'érablière. C'est le cas du tilleul et du frêne d'Amérique. Ces deux espèces, qui exigent un sol de haute qualité, jouent un rôle majeur dans le maintien des propriétés et des qualités de l'humus en lui fournissant d'importantes quantités de sels minéraux.

Ce n'est pas la présence de neige au sol qui garantit la coulée des érables, c'est la succession de nuits froides et de journées douces. Cette érablière de Verchères, en banlieue est de Montréal, donne un bon rendement malgré l'absence de neige.

Arbre mort, arbre de vie : cet érable mort abrite une importante quantité d'insectes dont se nourrissent les pics et les sittelles.

ATTENTION : SOL FRAGILE!

L'érable à sucre est un géant aux pieds sensibles. Comme la plupart des végétaux vivant à nos latitudes, cet arbre se nourrit par ses racines, plus précisément par ses radicelles, des racines innombrables mais minuscules. Plus de 80% des radicelles de l'érable se situent dans les 10 premiers centimètres du sol. En somme, elles prolifèrent littéralement à fleur de terre. Par ailleurs, elles vivent en association avec des champignons microscopiques qui, eux, contribuent à un meilleur prélèvement de l'eau et des éléments comme le zinc, le potassium et le cuivre, qui se propagent lentement dans le sol.

C'est donc dire que le sol de l'érablière est très fragile et qu'il peut être gravement atteint par toute perturbation. Dans cet esprit, le compactage du sol produit par le passage de véhicules motorisés ou de troupeaux de bêtes peut aussi avoir des effets désastreux.

INSECTES ENNEMIS

Dans une érablière, le stress causé par les insectes est, pour l'acériculteur, le sujet d'une perpétuelle inquiétude.

Quelques 150 espèces d'insectes s'alimentent du feuillage de l'érable à sucre, et 28 sont exclusifs à cet arbre. Néanmoins, seulement une demi-douzaine d'entre elles peuvent causer des dégâts importants. Parmi celles-là, les défoliateurs sont les plus nombreux et les plus à craindre, mais on retrouve également des mineuses, des squeletteuses, des enrouleuses, des tordeuses, des suceurs et des perceurs. N'y a-t-il pas là de quoi faire frémir n'importe quel acériculteur?

Deux groupes de défoliateurs sont particulièrement actifs. Le premier englobe l'arpenteuse de Bruce, l'arpenteuse d'automne et l'arpenteuse du tilleul. Au Québec, depuis le milieu de notre siècle, ces trois variétés ont périodiquement causé des défoliations graves sur l'érable à sucre.

Mais ce n'est pas tout, puisque la livrée des forêts peut aussi devenir un défoliateur dangereux au cours de ses invasions souvent spectaculaires dans les forêts de peupliers faux-trembles et de bouleaux à papier. Si, pendant cette épidémie, la livrée rencontre une érablière sur son chemin, elle la dévorera sans remords!

Le deuxième groupe est composé de trois défoliateurs tardifs de l'érablière : la chenille à bosse orangée, l'hétérocampe de l'érable et l'anisote de l'érable. Comme les arpenteuses printanières le font, chaque chenille des défoliateurs tardifs doit consommer environ deux feuilles pour assurer son plein développement. Ces insectes peuvent donc être la source d'une défoliation quasi totale de l'érablière. Au cours de l'été, cette situation est souvent très spectaculaire, tant par l'ampleur des dommages causés que par le nombre de chenilles qui forment les colonies.

Cependant, parmi les espèces d'insectes qui peuvent occasionner le plus grand tort à l'érable à sucre, le perceur de l'érable est le plus redoutable et le plus pernicieux. En fait, ce gros coléoptère s'en prend aux tiges les moins vigoureuses et celles à croissance lente, situées en position intermédiaire. Les dommages provoqués par le perceur de l'érable le sont uniquement par la larve de cet insecte. En effet, le développement larvaire de ce perceur dure deux années. Dès l'éclosion des œufs, les petites larves pénètrent dans l'arbre et se nourrissent sous l'écorce, creusant chacune une galerie transversale ou oblique peu profonde dans le bois de l'aubier. Au printemps de la troisième année, la pupe se transformera en adulte, laissant sous l'écorce une large cicatrice pouvant atteindre un mètre de longueur et qui deviendra visible après le décollement de l'écorce.

QUAND LA MALADIE S'ACHARNE

Au péril né de l'attaque des insectes s'ajoute celui causé par les maladies, dont la liste serait trop longue à énumérer, mais il en est quelques-unes dont les conséquences sont très évidentes.

Les chancres, par exemple, tels le chancre eutypelléen et le chancre nectrien, sont rapidement visibles. Par ailleurs, des caries à l'intérieur du bois ou des racines sont parfois provoquées par des champignons néfastes. Dans tous ces cas, il faut brûler les arbres contaminés afin de détruire l'ennemi et d'éviter la propagation du mal.

Comme on peut le constater, le parcours de vie de l'érable à sucre est parsemé d'embûches. Pourtant, dans l'ensemble, cet arbre résiste bien aux malheurs qui le guettent et, quand il est convenablement entretenu, il réussit à survivre à la majorité des attaques.

L'ÉRABLIÈRE EN ÉTÉ

JUIN arrive enfin! Le soleil atteindra son solstice dans 21 jours. Pour le moment, insectes, gent volatile et petites bêtes s'en donnent à cœur joie. La cigale chante, les papillons découpent le ciel de leur vol hésitant, les oiseaux couvent... et des oisillons voient le jour quotidiennement. Allongée sur une pierre, la marmotte se chauffe au soleil. Les oursons gambadent avec leur mère. Les renardeaux glapissent dans leur terrier. Les bébés ratons laveurs grognent au fond de leur érable creux.

Des feuilles multicolores qui tapissaient l'érablière l'automne dernier, il ne reste qu'une mince couche composée des membranes fines des feuilles desséchées. Se glissant par les interstices de la nouvelle feuillée, le soleil dessine des mouchetures sur cette fine layette de couleur fauve. Seul l'observateur expérimenté remarquera, parmi les taches de lumière, le fin museau noir ligné de blanc et les grands yeux bruns très doux du faon.

Le cerf de Virginie – le chevreuil d'Amérique –, qui est un as de la survie, a trouvé dans le mimétisme une façon très sûre d'échapper à ses ennemis. La robe brun clair parsemée de taches d'un blanc jaunâtre des petits les rend presque invisibles quand leur mère les couche dans une clairière traversée de rayons de soleil. Les quelques fougères, qui déroulent çà et là leurs crosses vert tendre, contribuent à masquer leur présence sans, par leur ombrage, atténuer la chaleur de l'astre du jour dont les petits ont bien besoin.

Dans ce beau paysage, l'érablière bourdonne de vie... même après le coucher du soleil. Surexcité et gonflé d'adrénaline par le besoin instinctuel d'assurer la survie de son espèce, le pinson à gorge blanche s'égosille jusque tard dans la nuit à répéter cette menace bien connue chez nous : « Cache ton cul, Frédéric, Frédéric! »

Un autre visiteur nocturne est le grand polatouche, surnommé « l'écureuil

Un des hôtes les plus discrets mais les plus assidus de l'érablière est le cerf de Virginie. Il mange les feuilles, les samares et l'extrémité des tiges de l'érable à sucre; de plus, il recherche les clairières ensoleillées de ces boisés pour y cacher ses faons.

Une merveilleuse impression de sérénité se dégage, l'été, d'une érablière déserte.

volant ». Ce mammifère, qui niche dans les résineux, fréquente les forêts de feuillus à la recherche de graines. Il utilise, comme une sorte de parachute, une membrane de peau qui s'étend entre ses pattes. S'élançant du haut des arbres, il peut ainsi parcourir de grandes distances en planant.

Mais d'autres aussi se nourrissent nuitamment dans l'érablière. Il s'agit, bien sûr, de la souris-sauteuse des bois, de la souris à pattes blanches et de la souris sylvestre.

Des proies aussi alléchantes ne laissent pas le grand duc indifférent. Il se met en chasse dès la brunante, et, jusqu'au petit matin, on entendra de temps à autre un hululement à faire frémir d'effroi toute la gent animale. En effet, qui n'a pas un jour entendu le retentissant « hou, hou, hou-hou! » du hibou?

PLUIE DE VIE, PLUIE DE MORT

Quand le ciel se couvre, les longs bras ouverts des érables accueillent la pluie avec avidité, tentant ainsi d'étancher leur soif insatiable. En fait, ces arbres de grande taille tirent du sol des quantités d'eau phénoménales. Et comme ils vivent en sol bien drainé, ils en manquent constamment. Pour l'érable, l'eau est vraiment le don de vie.

Pourtant, cette manne venue du ciel apporte peut-être la mort avec elle! En effet, la pollution industrielle atteint l'atmosphère et, portée par les vents dominants, retombe sous forme de pluies acides. Les acériculteurs prétendent que ces pluies acides frappent leurs érablières, rendant leurs arbres malades et faisant mourir un nombre important d'entre eux. En 1987, la Chambre des communes du gouvernement canadien a mis sur pied un comité spécial sur les pluies acides auquel l'Union des producteurs agricoles (UPA) du Québec a présenté un volumineux mémoire.

Soulignant l'importance économique de l'exploitation forestière sous toutes ses formes, l'UPA a rappelé au gouvernement que des équipes de chercheurs de l'Université Laval et du ministère de l'Énergie et des Ressources (aujourd'hui devenu le ministère des Ressources naturelles) ont désigné les pluies acides comme la cause du dépérissement des forêts, et plus particulièrement des érablières.

En regard d'une analyse des sols forestiers réalisée il y a une trentaine d'années, une analyse comparative récente démontre que, sur 52 stations analysées de nouveau, le taux d'acidité du sol (pH) avait diminué dans 60% des cas et que la somme des cations (minéraux) échangeables avait, quant à elle, diminué dans 75% des profils.

Pendant ce temps, une autre équipe de scientifiques de l'Université Laval réalisait une étude sur l'état du cycle et du statut nutritif de l'érablière. Ce projet de recherche, mené dans 44 érablières réparties dans cinq comtés, au sud de la région de Québec, a mis en évidence l'existence de concentrations sub-optimales – c'est-à-dire en dessous de ce qui serait favorable – en phosphore et en potassium, donc d'une carence. Cette équipe a bel et bien fait la preuve que les pluies acides sont responsables de la perturbation du cycle nutritif du phosphore à laquelle on doit imputer les carences de phosphore observées dans les érablières de la région étudiée.

De 1983 à 1986, le ministère de l'Énergie et des Ressources du Québec a fait une revue détaillée, par survol aérien, d'une aire de 70 000 kilomètres carrés comprise entre le lac Champlain et Matane, des dommages causés par le dépérissement, et a procédé à l'établissement de 253 places d'étude dans les érablières du Québec. On a constaté qu'à

Bien que leur campagne de revendication se soit apaisée, les acériculteurs croient toujours, peut-être avec raison, que les pluies provenant des régions industrielles nuisent à l'état de santé de leurs érablières.

Non seulement un érable à sucre procure-t-il un élément décoratif non négligeable à proximité d'une habitation, sa présence même a quelque chose de sécurisant.

cette époque les érables de plus de 45% des érablières étaient défoliés entre 11% et 25%, et que le mal était en progression.

Quant aux acériculteurs, ils affirmaient à cette époque que le taux de mortalité de leurs érables atteignait 10%, comparativement à un taux normal de 1% à 2% annuellement.

CYCLES DE DÉPÉRISSEMENT

Depuis 1987, les érablières se sont améliorées sans avoir, cependant, retrouvé un état normal. Il appert que, malgré leurs effets néfastes, les pluies acides ne soient pas les seules responsables de la défoliation des érables.

Le dépérissement d'essences forestières n'est pas un phénomène nouveau. Autrefois appelé « maladie du jardinier », ce phénomène était d'abord observé sur les arbres d'ornement. Depuis le début du siècle, plusieurs vagues de dépérissement des érables ont déferlé sur l'Amérique du Nord. La première, vers 1910; la seconde, dans les années 1930; et une autre, pendant les années 1960.

Dans le sud-est de l'Ontario, le dépérissement des érables à sucre remonte à 1952. Il a connu son apogée en 1957 et 1958, puis il a disparu lentement jusqu'en 1964. D'autres feuillus, tels le bouleau à papier et le frêne noir ont aussi été sporadiquement touchés par des dépérissements cycliques.

Pourtant, le dépérissement qui s'est manifesté dans les années 1980 – et qui laisse encore des traces – diffère des

À l'extrémité d'un pré fleuri, l'érablière. Le regroupement de jeunes érables autour d'un érable adulte, dans le bosquet de droite, montre comment les érables se multiplient.

précédents. Alors que ces derniers semblaient, pour la plupart, toucher des superficies assez restreintes et seulement une ou deux espèces à la fois, le dépérissement actuel se distingue par son étendue et par le nombre d'espèces atteintes.

Le dépérissement actuel est présent dans toute l'aire de distribution de l'érable à sucre. Des relevés aériens indiquent que, sur les deux millions d'hectares d'érablières inventoriées, la moitié ont plus de 11% de feuillage manquant.

Par ailleurs, toutes les essences sont touchées. En effet, même si l'érable domine toute érablière, des individus de plusieurs espèces secondaires y trouvent place, notamment le bouleau jaune, le frêne et le hêtre. Nous n'assistons pas ainsi au dépérissement de l'érable, mais à celui de l'érablière.

Les facteurs susceptibles de provoquer cette détérioration anormale et alarmante sont nombreux. Parmi ceux-là, il faut compter avec les épidémies d'insectes, l'appauvrissement du sol, les méthodes d'aménagement déficientes, l'entaillage inadéquat, les virus, les champignons et les accidents climatiques tels que les sécheresses, les dégels prématurés et les insuffisances en neige. Au ministère des Ressources naturelles du gouvernement du Québec, on a identifié 79 variables pouvant intervenir dans l'apparition ou l'évolution du dépérissement. Elles sont liées aux facteurs écologiques, pédologiques, dendrométriques, climatiques et anthropiques. De plus en plus, on pointe du doigt l'effetde serre : notre climat serait en train de changer globalement par suite

L'érable à sucre produit une importante quantité de samares.

de l'augmentation de polluants atmosphériques.

ÉRABLIÈRES VULNÉRABLES

La caractérisation des principaux types d'érablières démontre que quelques-unes sont plus vulnérables que d'autres. En fait, on observe une relation entre certains caractères de l'habitat et le taux de dépérissement des érablières. L'indice le plus évident est le régime hydrique. Les érablières les moins vulnérables sont celles qui bénéficient d'un apport d'eau constant. Celles qui croissent en milieu trop sec ou trop humide sont les premières touchées.

Outre le drainage, l'analyse de l'habitat met aussi en évidence la fertilité des sites qui, elle, engendre, bien sûr, la densité du peuplement. Dans cet esprit, une érablière clairsemée devient donc vulnérable et davantage sujette au dépérissement. Enfin, parmi les nombreux insectes qui fréquentent assidûment l'érablière, deux exercent des ravages importants : la livrée des forêts et le perceur de l'érable.

Chaque écosystème a une capacité de charge qui lui est propre. Les problèmes surviennent lorsque un ou plusieurs facteurs de stress s'ajoutent à cette capacité de charge, qui représente le seuil de tolérance. Il s'ensuit alors une réaction en chaîne qui aboutit au dérèglement des mécanismes régissant cet écosystème.

L'ARBRE ÉBÉNISTE

Le bois de l'érable est au moins aussi recherché que son sucre. C'est un bois très dur, au grain fin et d'une belle couleur variant du blanc crème au blond pâle. Pour ces raisons, il fait donc l'objet d'une exploitation importante.

On ne commence guère la coupe des érables destinés au sciage avant la mi-août. C'est là seulement que leur période de croissance est terminée et que leur sève cesse de circuler. Si le bois est coupé pendant que la sève circule encore, il sèche difficilement et a tendance à pourrir.

Il existe un autre avantage à commencer durant ce temps. En effet, à la fin de l'été, l'eau de surface s'est retirée du sol, et la terre a durci, ce qui facilite la construction des chemins de halage.

UN CHEMIN DE FER EN BOIS D'ÉRABLE

Comme on vient de le voir, le bois de l'érable à sucre est recherché en ébénisterie et dans l'industrie du meuble pour ses qualités particulières. Non seulement a-t-il belle apparence et est-il remarquablement dur, mais, attribut précieux, il ne gondole pas sous l'effet de la chaleur ou de l'humidité, et on peut lui donner un beau fini. Il est à ce point stable qu'on peut en faire des instruments de musique, même des instruments à vent. Pour ces mêmes raisons, on en recouvre les allées de quilles et, au siècle dernier, on en faisait des chemins de fer!

En 1869, la *Quebec & Saguenay Railway* obtint du gouvernement un appui pour relier Roberval à Québec par chemin de fer. Comme on ne pouvait installer des rails de fer, faute d'argent dans les goussets, on opta pour des rails à lisses faits de bois d'érable recouvert d'une lame d'acier. La construction fut exécutée sous la direction d'un expert américain qui avait déjà construit plusieurs voies ferrées en érable à sucre en Nouvelle-Angleterre.

Exploitation de l'érable à sucre pour le bois en Outaouais. Seule une coupe dite de jardinage est permise afin de conserver la diversité biologique de la forêt.

En haut à gauche
Érable piqué. On dit de l'érable qu'il est « piqué » quand s'y developpent des nœuds minuscules du plus bel effet. Un seul tronc d'érable piqué vaut des milliers de dollars tellement ce bois est recherché en ébénisterie. On ne coupe pas du tel bois en planches : on le déroule plutôt en feuilles minces qu'on plaque sur du bois moins recherché.

En haut à droite
Bois d'érable « ondé ». Également recherché en ébénisterie, en lutherie et en cabinetterie.

ANOMALIES ÉTONNANTES ET BOIS PRÉCIEUX

En général, le tronc de l'érable à sucre est bien droit. Mais, il arrive parfois qu'il soit atteint de malformations qui prennent généralement la forme de verrues démesurées allant jusqu'à un mètre de longueur. Le bois de ces excroissances est sain, mais ses grains épousent des formes étranges, torturées, qui rappellent des états d'âme. Il n'en faut pas plus pour inspirer des artistes et des artisans. J'ai connu, naguère, un vieil ébéniste de talent qui tirait plusieurs tables étonnantes d'un seul nœud. C'était à Nominingue.

Mis à part ces curiosités, il existe certains érables à sucre dont le bois est vraiment précieux. Ce sont l'érable piqué et l'érable ondé. S'il est parfait, un seul tronc brut de ces arbres peut valoir plusieurs milliers de dollars... et il n'est pas rare que de tels érables soient volés de leur vivant! Ces dernières années, au Nouveau-Brunswick, ce genre de crime a pris l'allure d'une épidémie.

L'érable piqué et l'érable ondé ne sont pas des variétés d'un même arbre : ce sont des anomalies de certains arbres. L'érable piqué, le plus connu, présente un bois couvert de nœuds minuscules distants de trois à cinq millimètres les uns des autres, et créant l'illusion que l'arbre a subi des piqûres d'insectes, ce qui n'est pas le cas. On ne connaît pas exactement la cause de ce phénomène, mais on l'attribue au stress.

L'érable piqué peut se retrouver n'importe où, mais comme il est très rare, seul un expert peut le reconnaître. Une fois fendu tangentiellement, le bois d'érable piqué présente des mouchetures qui ont l'air de petites bosses, si on examine la face intérieure, et de petites cavités, si on examine la face extérieure.

La qualité et la valeur du bois d'érable piqué sont déterminées par la répartition et la dimension des mouchetures. Seul le bois d'aubier, plus pâle, est utilisé pour le déroulage et le tranchage, principales destinations du bois d'érable piqué. On accorde une appréciation plus grande aux mouchetures moyennes, qui doivent être bien réparties plutôt que regroupées. En somme, des mouchetures en nombre insuffisant, mal réparties ou de mauvaise dimension déclassent les billes d'érable piqué au point de leur donner une valeur moindre que celle de l'érable non piqué.

L'ARBRE ALCHIMISTE

Le bois de l'érable à sucre est recherché, parfois même précieux. Pourtant, il n'en a pas toujours été ainsi. Au siècle dernier, quand la région des Bois-Francs fut ouverte à la colonisation, le bois d'érable n'avait de valeur qu'à titre de combustible. Pour le colon, l'érable n'était pas un ami. Bien au contraire, c'était un ennemi à vaincre si on voulait conquérir la terre. Dieu seul sait comment, mais quelqu'un eut un jour l'idée de délayer de la cendre d'érable dans de l'eau pour en faire de l'hydroxyde de potassium, un produit communément appelé « potasse caustique », « potasse » tout court et même « perlasse », à cause de sa couleur blanc argent rappelant celle des perles.

La potasse caustique servait de base à la fabrication des savons et des produits de nettoyage. Or, à cette époque, l'Angleterre était en pleine révolution industrielle. Ses filatures ronronnaient jour et nuit, produisant des étoffes réputées qu'elle exportait dans le monde entier. Pour la fabrication des savons, elle avait un besoin insatiable de potasse.

Des forêts entières d'érables à sucre des Bois-Francs furent ainsi abattues; des troncs, brûlés; et leurs cendres, transformées en potasse caustique destinée à l'Angleterre. L'exportation de ce produit était si importante qu'on se mit à construire des routes reliant cette région au fleuve et à transformer en ville champignon la minuscule agglomération de Port-Saint-François.

NAISSANCE DE L'ÉRABLE

Les fruits de l'érable, les samares, viennent à maturité à la fin de l'été. Toute leur valeur se concentre dans la graine, et leur couleur passe du vert au blond en séchant. Elles deviennent de plus en plus légères, ce qui favorisera leur envol sur l'aile du vent au moment de leur grand départ pour aller s'établir ailleurs.

Celles qui l'ont fait l'année précédente voient justement le jour. Du moins, celles qui n'ont pas servi de nourriture aux bêtes et qui ont trouvé un terrain propice! Dans des conditions idéales, comme lorsqu'elles tombent sur de la terre fraîchement remuée, elles poussent dru comme le duvet d'un canard et couvrent le sol en moins de deux.

À peine ont-elles atteint quelques centimètres de hauteur qu'apparaissent les premières feuilles, minuscules, mais fidèles à leur modèle génétique. Quand le soleil couchant d'un beau jour d'août caresse les cimes de ces êtres à la fois si frêles et si forts, l'amant de la nature ne peut faire autrement qu'être bouleversé devant une manifestation aussi émouvante de l'éternel combat pour la survie. De ces milliers de plantules, une seule atteindra l'âge adulte! Laquelle? Et au prix de quels efforts, de quels compromis, de quelles trahisons?

Les allées de quilles sont généralement recouvertes de bois d'érable. Ce bois très dur résiste bien à l'impact des lourdes boules de quilles.

En haut à gauche
La plus grande salle de quilles au Canada : ses allées sont en bois d'érable à sucre.

En haut à droite
Toujours à la mode : des armoires de cuisine en bois d'érable à sucre dans un grand magasin de matériaux de rénovation.

Pages suivantes
Oie blanche perdue dans le décor automnal de la côte de Beaupré

L'irradiation solaire est un facteur environnemental majeur qui limite la photosynthèse et la croissance des espèces vivant sous couvert forestier. Assez étonnamment, l'érable à sucre n'est pas très bien doté pour survivre sous les feux du soleil. Son taux de photosynthèse est le plus bas parmi la plupart des espèces auxquelles il doit disputer l'espace vital. Et non seulement est-il le plus bas, mais il est celui qui devient saturé au plus bas niveau.

Comme espèce dominante, l'érable doit son succès au fait que ses feuilles s'épanouissent tôt au printemps et que, grégaire et prolifique, il occupe tout l'espace disponible, monopolisant ainsi la lumière par son feuillage dense. Après avoir, par son nombre, vaincu tous ses adversaires, l'érable naissant se retourne maintenant contre ses congénères dans le but de les éliminer. Voilà un bien étonnant psychodrame d'amour et de haine, une bien troublante joute politique où le dominant, tout en ayant besoin de la présence protectrice des dominés, doit les faire mourir... à mesure qu'il croît.

C'est à l'orée de l'érablière qu'on peut le mieux observer ce phénomène. C'est là que les jeunes érables trouvent la nourriture et la lumière qui leur sont indispensables. Ils s'y regroupent et forment des fourrés denses qu'on appelle écotones ripariens. Par sa texture inextricable même, un écotone riparien favorise la présence d'une foule d'espèces animales, comme quoi la vie attire la vie! Le renard y creuse son terrier, la gélinotte y élève ses petits, le lièvre fait de même, les passereaux y nichent et le chevreuil s'y réfugie en cas d'alerte.

Comme on peut le constater, la vie de l'érable à sucre est complexe. Et dire que, vue de loin, l'érablière semble si paisible! On croirait presque qu'il ne s'y passe rien.

L'ÉRABLIÈRE EN AUTOMNE

La cigale s'est tue; l'hirondelle est partie; la sarcelle à ailes bleues part vers le sud; le morillon à collier arrive du nord; le faon a perdu ses mouchetures; les orignaux, le velours de leurs bois. À la pleine lune de septembre, l'écho des montagnes porte au loin le long cri d'amour des cervidés. C'est l'automne... et la chasse commence.

Pendant l'été, les jeunes feuilles qui émergeaient des rameaux en croissance émaillaient les frondaisons de marbrures pâles, mais, désormais, leur feuillée est d'un vert sombre uniforme. On pourrait croire qu'elles vont s'étioler et tomber, mais ce serait compter sans le caractère hardi de l'érable à sucre.

Un beau matin de septembre, une branche, une seule, s'allume au flanc de l'érablière. L'éclair orangé défie le soleil levant et, en moins de quelques jours, allume la forêt tout entière. L'érable à sucre connaît sa deuxième heure de gloire de l'année et, cette fois, partagera l'honneur avec l'érable rouge, le peuplier, le bouleau à papier et le chêne. Si, après quelques nuits de gel profond, le soleil luit pendant trois jours d'affilée, on dit que c'est l'été indien[1].

La coloration des feuilles s'amorce dans le haut des cimes et s'étend sur tout l'érable. De la même façon, elle débute dans le haut des montagnes et déferle, telle une traînée de feu, jusqu'au cœur des vallées, ne s'arrêtant au bord des lacs calmes comme des miroirs que pour admirer sa propre image.

Les feux de l'automne s'allument au pied du mont Pinnacle, dans les Cantons-de-l'Est.

Le phénomène atteint son point culminant entre le 25 septembre et le 5 octobre. Toutefois, si les feuilles colorées peuvent être emportées en un jour ou en une nuit par un gros orage ou par un vent fort, les feuilles encore vertes restent accrochées aux arbres, et la coloration se poursuit. Cependant, si, par chance, une crête de haute pression atmosphérique s'arrête sur le pays au moment du plein épanouissement des couleurs, l'or et l'écarlate habilleront nos forêts pendant trois et même quatre semaines.

1. Contrairement à la coloration des feuilles, le véritable été indien n'arrive pas chaque année.

Le feuillage de l'érable peut, à l'automne, être rutilant.

LA COLORATION, UN PHÉNOMÈNE COMPLEXE

Un spectacle aussi ravissant attire les foules. Nombre de visiteurs étrangers se joignent à nous pour admirer longuement nos paysages, les photographier, les peindre et faire provision d'images mentales.

Les journées les plus favorables à l'observation des forêts multicolores ne sont pas, comme on pourrait le croire, les journées ensoleillées. Ce sont plutôt les journées nuageuses, et même celles où il pleut légèrement. En réalité, la lumière crue d'un soleil trop ardent vient en conflit avec les couleurs subtiles des feuilles et provoque des ombres non souhaitables, surtout pour la photographie.

Au contraire, par soleil voilé ou par temps nuageux, la gamme interminable de nuances d'or et d'écarlate chatoie à l'infini et s'enveloppe d'une lumière particulière si quelques gouttes de pluie font luire les feuilles.

La coloration des feuilles est un phénomène complexe. D'une part, le rythme de circulation de la sève ralentit à mesure que les jours raccourcissent, surtout sur les parties les plus hautes de l'arbre. D'autre part, les feuilles de la cime, qui ont été plus exposées à la lumière solaire, sont les premières à atteindre leur pleine maturité et à parachever leur cycle de vie.

Une feuille est, en quelque sorte, une usine dont l'activité principale est la photosynthèse. En fait, chacune est un capteur de lumière solaire dont l'épiderme, ciré pour empêcher l'évaporation de l'eau, est translucide. Ainsi, la lumière peut pénétrer les tissus photosynthétiques qui tapissent son intérieur. À l'automne, la chlorophylle de la feuille se désintègre, et les pigments jaunes qui s'y trouvaient emprisonnés apparaissent graduellement.

Chez certaines espèces à sève sucrée, comme l'érable à sucre et l'érable rouge, la concentration de sucre augmente dans les feuilles mourantes les jours ensoleillés et frais, ce qui provoque la formation de pigments rouges qui se dissolvent dans le liquide des cellules.

LA CHUTE DES FEUILLES

À cette époque, l'arbre cesse de croître, mais le bourgeon, lui, continue. Déjà, il accumule des réserves en vue du printemps prochain et, en se formant, il affaiblit la base de la feuille mourante, qui s'éteint et tombe.

Si le temps est calme pendant cette période, les feuilles découperont le ciel à la manière des oies qui « cassent » et se poseront élégamment sur le sol. Le vol des oies qui s'élancent sur une aile, puis sur l'autre, lorsqu'elles descendent à la verticale est tellement similaire au mouvement des feuilles qui tombent qu'on dit de ces oiseaux qu'ils « font la feuille ».

Certains jours bénis où une brume légère et dorée par les rayons du soleil levant noie le paysage, le promeneur, qui évolue sans bruit sur un tapis multicolore se confondant avec l'horizon, est saisi d'un étrange sentiment d'apesanteur et entre dans un état second où il se sent comme un trait d'union entre la terre et le ciel. Si ce n'est pas là être en état de grâce, qu'est-ce donc?

UNE SEMENCE BIEN GARDÉE

Les samares, qui sont tombées avant les feuilles, attendent que ces dernières viennent les couvrir. Dans sa grande sagesse, Dame Nature fait en sorte que la semence de l'érable soit protégée par un

Des érables à sucre d'une vingtaine d'années révèlent l'âge de ce parc de Brossard.

Aucune fleur ne peut atteindre la splendeur d'un érable durant l'été indien.

épais tapis de feuilles mortes. Qu'elle soit non seulement à l'abri du froid, mais aussi du dessèchement.

L'eau des pluies d'automne traverse le tapis de feuilles et fournit aux samares l'humidité nécessaire pour qu'elles prennent racine. Écrasées par l'eau, les feuilles se pressent contre les semences et maintiennent autour d'elles un taux d'humidité convenant à leur germination.

LES MANGEURS DE FEUILLES

Le matelas de feuilles mortes atteint parfois 30 centimètres d'épaisseur avant que ces dernières ne soient écrasées par la pluie et, plus tard, par la neige. Pourtant, il se sera presque entièrement dissipé au printemps. En fait, quelques squelettes subsisteront et couvriront à peine l'humus. Le phénomène bien connu du compostage ne peut, à lui seul, être responsable d'une disparition aussi soudaine.

La cause véritable, l'observateur la trouvera à la fin de l'automne, en déplaçant du bout du pied le lit de feuilles en décomposition. Il constatera alors qu'une foule de vers blancs minuscules, longs de deux centimètres et minces comme des fils, grugent le tissu des feuilles tombées et le réduisent en humus. Au moment propice, ces vers se multiplient à la vitesse des bactéries, et leur nombre atteint 10 milliards par hectare. Quand un gel en profondeur les arrêtera enfin, ils auront déjà rendu à la forêt l'humus dont elle aura besoin au printemps pour reprendre sa croissance sans délai.

LA DORMANCE DES GRAINES

La graine de l'érable à sucre est composée d'un embryon et de deux couches de tégument, qui l'enveloppent. Dès l'automne, l'embryon est morphologiquement complet. Il entre alors dans une période de dormance définie comme une incapacité de germer à cause d'un blocage métabolique interne. Ce sont les téguments qui empêchent la graine de germer et la protègent contre les infections microbiennes.

La dormance est aussi associée à un temps de surmaturation nécessaire à la germination future. À l'automne, la

À gauche
Le verglas constitue l'un des principaux ennemis de l'érable. Une seule tempête a cassé tous ces arbres.

À droite
La cime de cet arbre, peut-être cassée par la foudre, présente un danger réel tant pour le promeneur en forêt que pour le bûcheron.

graine mûre contient beaucoup de graisses et de protéines, mais peu d'hydrates de carbone. Voilà pourquoi elle doit subir cette surmaturation pendant l'hiver.

ENDURCISSEMENT AU FROID ET DOMMAGES PAR LE GEL

L'érable à sucre peut, en hiver, endurer des froids pouvant atteindre -40 °C. Le passage de l'état de sensibilité au gel en été à l'état de tolérance au gel en automne s'appelle l'acclimatation ou l'endurcissement. L'acclimatation des parties aériennes de l'érable se fait en réponse à la diminution de la longueur du jour et à la baisse de température.

Ce mécanisme se met en place en deux phases. La première s'effectue à la fin de l'été, quand la longueur du jour diminue. Cette réduction des heures de lumière provoque aussi un arrêt de croissance, la formation des bourgeons et l'entrée en état de dormance. La deuxième phase survient avec l'arrivée des froids du début décembre. Là, l'endurcissement est à son degré maximal. Toutefois, les arbres malades, déficients en éléments minéraux ou ayant peu de réserves en hydrates de carbone s'endurcissent moins que les autres, en bon état.

Assez paradoxalement, l'érable à sucre est fort sensible au froid. Il l'est au point de subir des dommages par le gel

si un froid intense survient tôt en automne, avant qu'il n'ait terminé sa période d'endurcissement. Dans ce cas, le gel n'agira que sur la croissance de l'année.

Les dommages peuvent également se manifester après un désendurcissement causé par des températures anormalement élevées en hiver. Dans les années 1980, on a connu un redoux de février qui a duré une quinzaine de jours. Quand les grands froids sont revenus, l'écorce de nombreux arbres a éclaté, exposant ces derniers aux insectes de toutes sortes et leur causant un stress important.

Les dommages causés par les gelées tardives peuvent aussi advenir à la suite du débourrement printanier. Les gels printaniers de forte intensité qui arrivent alors peuvent entraîner la mort du feuillage et de la tige de l'année. Quant aux gels de moindre intensité, il peuvent laisser des trous dans le feuillage des érables à sucre.

L'ARBRE PAYSAGISTE

À tous les talents de l'érable à sucre, il faut ajouter celui de « paysagiste » hors pair. En effet, cet arbre possède un attrait considérable, et il est vu comme un actif important autour de toute propriété. Il est même facile à transplanter chez soi, pourvu que le site soit situé dans l'aire de distribution de cette essence et que le sol soit approprié. Le sol idéal peut être un peu rocheux, pourvu qu'il soit riche et bien drainé et, de préférence, incliné vers le sud.

On peut se procurer des plants d'érable à sucre en pépinière ou, avec la permission du propriétaire, à l'orée d'une érablière. On choisira un jeune érable qui croît déjà au soleil, et non à l'ombre, afin de lui éviter le choc de la lumière vive. L'érable ne dédaigne pas l'ombre et tolère qu'on l'installe au milieu d'arbres plus grands.

Au moment d'une transplantation, il faut, de l'avis des horticulteurs, enlever à l'arbre 30% de ses branches. Comme son adaptation à un sol étranger requiert une partie de son énergie, il nourrirait difficilement un feuillage entier. La seule exception à cette règle vaut pour les arbres provenant d'une pépinière et que l'on plante de nouveau avec la motte de terre entière à laquelle ils sont déjà adaptés.

Si on émonde un érable, il faut, toujours de l'avis des horticulteurs, retirer des rameaux de manière égale de part et d'autre du tronc afin de lui conserver son équilibre.

Par ailleurs, on a tendance à planter les érables à sucre trop près les uns des autres. Étant donné que leur ramure deviendra grande, il vaut mieux les espacer de 10 mètres. Si cela est nécessaire, on comblera les intervalles avec des espèces à croissance rapide, mais à cycle de vie court, dont on se départira sans remords quand les érables seront à maturité.

Enfin, contrairement au sol d'une érablière, dont l'humus est enrichi chaque année par l'apport des feuilles mortes, le sol entourant les propriétés est souvent débarrassé des feuilles qui tombent. Par conséquent, il convient de combler ce manque d'apport nutritif par un engrais approprié.

L'ÉRABLIÈRE EN HIVER

Une bordée de neige a blanchi l'érablière dans les premiers jours de novembre. Cette chute initiale a laissé plusieurs centimètres d'une neige d'un blanc pur qui a recouvert le sol et « enrubanné » les branches. Quelques jours de froid intense ont suivi, tentant de nous faire croire que l'hiver était vraiment commencé. Mais ce n'était qu'acte d'intimidation!

Le sol n'est pas encore gelé en profondeur, et la chaleur géothermique, aidée d'un court redoux, emporte bientôt la couche nivale. Quelques papillons retardataires volettent dans l'érablière : ce sont les papillons blancs de la mineuse de l'érable à sucre. Ils se hâtent de déposer leurs œufs dans les interstices de l'écorce crevassée des érables afin d'assurer la pérennité de leur espèce.

L'ours, la marmotte, le raton laveur, le tamia rayé, la souris-sauteuse et sa cousine à pattes blanches se sont enfermés dans leur cachette respective en prévision de la prochaine chute de neige qui, elle, restera au sol. Les passereaux, les canards et les oies ont migré au sud, et les oiseaux du nord arrivent. Ils passeront l'hiver avec nous.

Mis à part la présence incongrue des sittelles à poitrine rousse et à poitrine blanche qui arpentent les troncs d'érables tête en bas, l'érablière est déserte. On pourrait croire que le silence l'enveloppera jusqu'au printemps, mais il n'en est rien.

Moment de grâce dans l'érablière en fin de journée.

Par un beau matin, l'éclat de la hache et la plainte de la tronçonneuse déchirent l'air glacial. C'est le bûcheron de « bois de chauffage » qui vient d'arriver. Il fait provision de bois destiné à la combustion dans le poêle, dans la fournaise ou dans la cheminée.

Bien qu'il ne soit pas celui qui donne le plus de chaleur, le bois d'érable est le plus recherché parce qu'il est facile à trouver, et que c'est le moins cher et le plus agréable à utiliser.

On ne coupe pas le bois de chauffage avant la fin de la montée de la sève, soit

Tempête de neige sur l'érablière : un charme incontestable.

La réserve de bois de chauffage est toute prête pour le temps des sucres.

à la mi-août seulement et non avant. Autrement, il sécherait mal. Mais il ne suffit pas de sécher le bois; il faut aussi le couper en bûches et le fendre, ce qui constitue un travail harassant. Le bûcheron expérimenté attend donc que le tronc soit gelé de part en part avant de se mettre à l'œuvre.

Comme nous l'avons déjà vu, le tronc d'un érable contient une quantité d'eau importante. Aux grands froids, cette eau se transforme en glace et augmente de volume. Les fibres du bois s'en trouvent ainsi distendues et éclatent facilement sous les dents de la tronçonneuse ou sous le taillant de la hache.

À ce propos, un fendeur de bois qui a du métier pratique une technique intéressante. Quand il abat sa hache, il la vire

Page précédente, en haut
Érables emmitouflés de frimas au mont Sutton, à la fin du jour. Cadre de vie simple dans un décor grandiose.

Page précédente, en bas
Sur la motoroute 5, près de Matane. La pratique des randonnées en motoneige est devenue l'une des principales activités récréatives hivernales au Québec.

En bas à gauche
Expédition de motoneigistes dans les Laurentides.

En bas à droite
Motoneigistes à la découverte du beau pays de la Beauce; au-delà des fermes, les Appalaches.

légèrement de côté au moment précis où le taillant touche la bûche. Le poids de l'instrument se trouve alors instantanément déporté quand il s'enfonce dans le bois, ce qui exerce une pression considérable sur les fibres et les fait éclater à tout coup. Cette astuce permet au bûcheron de ménager ses forces et d'obtenir des résultats spectaculaires.

LES CHEVALIERS DE LA NUIT

À la nuit tombée, les échos de la journée sont à peine endormis qu'une pétarade les réveille. Des feux follets courent dans l'érablière, se suivant à la queue leu leu. Ce sont les phares d'un défilé de motoneiges parties à l'aventure. Le ronronnement des « montures haletantes » se mêle aux éclats de rire de leurs cavaliers.

L'invention de Joseph-Armand Bombardier a conquis d'un coup l'hiver et la forêt québécoise. Un demi-million de motoneigistes se lancent par monts et par vaux à la conquête de régions autrement inaccessibles trois saisons sur quatre. L'absence de lumière ne constitue pas un obstacle. Au contraire, on combat l'ennui des longues nuits d'hiver en se réunissant entre amis dans des clubs et des relais de motoneigistes situés souvent à plusieurs dizaines de kilomètres en forêt.

La pratique de cette activité hivernale est à ce point importante qu'un réseau complet de motoroutes s'est constitué au cours des années et couvre maintenant tout le Québec. Une motoroute est un sentier à deux voies balisées, doté d'une signalisation routière et entretenu chaque jour avec des niveleuses conçues à cette fin. Quant aux chenillettes motorisées elles-mêmes, elles ont atteint un degré étonnant de sécurité et de confort qui va jusqu'aux démarreurs électriques et aux guidons chauffés.

Les longues randonnées en motoneige sont donc devenues un *must* ,

On redécouvre le plaisir d'effectuer des expédition en traîneaux à chiens.

ce qu'il y a de mieux, et prennent souvent la forme de voyages-vacances d'une semaine ou plus. Certaines régions, telles la Gaspésie et la Côte-Nord, qu'on ne fréquentait autrefois que l'été, ouvrent maintenant leurs auberges tout l'hiver. Des villes importantes comme Chicoutimi, Gaspé et beaucoup d'autres aménagent dorénavant des couloirs blancs afin de permettre aux motoneigistes de conduire leurs « montures » jusqu'aux hôtels du centre-ville. Même la traversée du Saint-Laurent ne pose plus de problèmes, puisque les clubs de motoneiges locaux offrent aujourd'hui un service de transport sur remorques aux endroits stratégiques.

LES « MUSHERS »

Voyageant de jour, celle-là, une nouvelle catégorie d'aventuriers découvre, elle aussi, des joies hivernales en forêt. Ce sont les randonneurs en traîneaux à chiens. Quand ils passent, filant à vive allure, on n'entend que le crissement de leurs griffes sur la neige durcie et le fameux « *mush! mush!* », ce traditionnel cri de commandement du « *musher* » ou chef d'attelage.

Le passager, seul avec le « *musher* » pour les longues randonnées, est allongé bien au chaud dans un long traîneau appelé *kometik* , dont le nom et le design sont empruntés à de grands spécialistes des traîneaux à traction animale, les Inuits.

Quand des groupes d'individus le nécessitent, de véritables caravanes d'une dizaine de traîneaux et d'une centaine de chiens emportant hommes et victuailles glissent sur les sentiers pendant plusieurs jours. On ne s'arrête que pour manger en plein air un repas frugal cuit sur un feu de brindilles et, la nuit, pour dormir dans une cabane de bois rond ou dans un camp de bûcherons désaffecté, ou même encore sous la tente.

Jadis il fallait transporter les troncs d'arbre à la scierie la plus proche; aujourd'hui, des scieries portatives effectuent la coupe des billes chez le producteur de bois de sciage; ce type de service est particulièrement apprécié par les petits producteurs.

LA FORÊT LA MOINS PRODUCTIVE AU MONDE

C'est avec une fierté bien légitime que nous, Québécois, évoquons la taille importante de nos forêts, qui se déploient sur 500 000 kilomètres carrés. Néanmoins, il convient de rappeler qu'elles sont soumises à des facteurs climatiques incontournables qui ont un effet négatif sur sa croissance.

L'accroissement annuel moyen des forêts québécoises est de un mètre cube par hectare. Il est de 2,6 mètres cubes aux États-Unis, de 5,3 mètres cubes en France et de 6,8 mètres cubes en Allemagne.

Le réchauffement climatique – qui tend à se confirmer – améliorera peut-être cet état de choses, mais rien n'est moins certain. D'ici là, des chercheurs essaient, par divers moyens, d'augmenter la croissance et l'état de santé de nos forêts, particulièrement de nos érablières.

Dans cet esprit, l'application de fertilisants semble représenter une des voies de l'avenir. Un récent projet expérimental visant le développement de divers fertilisants et de certaines techniques de fertilisation sur une base opérationnelle a permis d'obtenir des résultats intéressants.

Par ailleurs, des travaux de fertilisation sur une large échelle ont commencé au printemps 1989. Jusqu'en 1992, on a épandu de l'engrais chez plus de 1 800 propriétaires, et près de 19 000 hectares d'érablières ont été traités. Le suivi forestier assuré ensuite a indiqué que l'état de santé et de croissance des érablières traitées s'était grandement amélioré. Il apparaîtrait que l'épandage d'engrais au sol, au printemps, soit le plus bénéfique.

L'ARBRE GASTRONOME

Ce modeste ouvrage serait incomplet si nous passions sous silence les qualités gastronomiques des produits de l'érable à sucre. Les Québécois sont de grands consommateurs de sucre sous toutes ses formes, que ce soit le sucre de canne, le sucre de betterave, le miel ou les produits de l'érable. Il va de soi que nous utilisons une proportion importante de notre production acéricole.

Nous l'avons déjà vu à la cabane à sucre, on emploie le sirop d'érable à de nombreuses fins. On y trempe le pain, on le verse sur nos crêpes, on y fait cuire nos œufs, on l'ajoute à nos plats de fèves au lard et de jambon, on en verse sur de la crème glacée et on l'ajoute à divers autres desserts.

Des centaines de recettes, souvent léguées par nos grands-mères, permettent d'incorporer le sirop et le sucre d'érable dans nos plats favoris. Pourtant, du point de vue de la haute gastronomie, les produits de l'érable, en particulier le sirop, ne sont pas d'usage facile. À l'instar du miel, le sirop d'érable est doté d'une saveur bien à lui capable de dérouter un novice. Toutefois, quand on sait trouver une juste mesure, le résultat est exquis.

Le chef Renaud Cyr, fondateur du célèbre Manoir des Érables, à Montmagny, est un cuisinier selon la meilleure tradition française. Il y fait de la cuisine française qui se distingue par l'intégration, de produits et d'éléments propres au Québec. Honneur considérable, son auberge fut une des quatre premières d'Amérique à être accueillie parmi les Relais & Châteaux gastronomiques.

Le chef Renaud Cyr, fondateur du Manoir des Érables, à Montmagny, est un grand spécialiste de l'utilisation du sirop et du sucre d'érable en fine cuisine.

Ce grand chef s'intéresse depuis longtemps aux produits de l'érable et à la manière d'en tirer les meilleurs résultats. À ce propos, il a même conseillé l'Institut d'hôtellerie du Québec. Par ailleurs, et pour le grand plaisir des lecteurs, il a eu l'aimable gentillesse de créer six recettes originales qui devraient ravir les palais les plus exigeants. Les voici.

BUISSONNIÈRE D'AIGUILLETTES DE FAISAN, VINAIGRETTE À L'ÉRABLE

INGRÉDIENTS

4 suprêmes de faisan
Endives
Laitue frisée, verte
Chicorée rouge (trévise ou *radicchio*)
Sel et poivre
Fines herbes

Vinaigrette à l'érable

15 ml de moutarde de Dijon
10 ml d'échalote grise
20 ml de vinaigre de cidre
50 ml de sirop d'érable
150 ml d'huile végétale

PRÉPARATION

Mélanger tous les ingrédients de la vinaigrette et réserver. Faire cuire les suprêmes, les couper en aiguillettes et les disposer en forme de buisson dans chaque assiette, sur laquelle il y a déjà, au centre, des feuilles d'endives, de laitue frisée et de chicorée. Arroser de la vinaigrette, saler et poivrer au goût, décorer de fines herbes et servir.

COFFRE DE PIGEONS, ÉTUVÉE DE POIVRONS À L'ÉRABLE

INGRÉDIENTS

4 pigeons entiers
Huile d'olive
1 échalote grise
200 ml de vin blanc
200 ml de poivron rouge et de poivron vert en brunoise
50 ml de beurre
100 ml de sirop d'érable
4 fleurs de pensées

PRÉPARATION

Prélever les suprêmes de pigeons et les saisir dans l'huile d'olive. Réserver. Faire revenir les carcasses de pigeons dans l'huile d'olive. Ajouter l'échalote ciselée. Déglacer avec 100 ml de vin blanc et laisser réduire. Filtrer le jus et le conserver. Faire revenir les petits dés de poivrons dans le beurre. Déglacer avec le 100 ml de vin blanc qui reste et ajouter le sirop d'érable. Laisser mijoter jusqu'à consistance désirée. Placer l'étuvée de poivrons dans quatre assiettes. Émincer les suprêmes et les disposer en éventail dans chacune d'elles. Décorer d'une fleur et servir.

MAGRETS D'OIE CARAMÉLISÉS, GÂTEAU DE SEMOULE AUX RAISINS FRAIS

INGRÉDIENTS

300 ml de semoule de blé (couscous)
2 magrets d'oie avec la peau
Huile d'olive
2 ml de moutarde sèche
30 ml de beurre
5 ml de cari
5 ml de sirop d'érable
50 ml de raisins verts, frais
100 ml de vin blanc
100 ml de crème 35%
Sel et poivre

PRÉPARATION

Faire cuire la semoule de blé. Saisir les magrets d'oie dans de l'huile d'olive jusqu'à ce que la peau soit bien croustillante. Confectionner un mélange épicé avec la moutarde, 15 ml de beurre, le cari et le sirop d'érable. En badigeonner les magrets. Cuire doucement à la salamandre ou à la poêle jusqu'à cuisson rosée. Répartir la semoule dans quatre moules circulaires de 10 cm; réserver. Couper le canard en escalopes. Démouler la semoule dans quatre assiettes. Disposer les escalopes de canard sur le dessus de la semoule; parsemer le tout des raisins légèrement revenus dans le 15 ml de beurre qui reste. Avec le vin blanc, déglacer le poêlon qui a servi à saisir les magrets, ajouter la crème, saler, poivrer et utiliser comme sauce. Servir.

BEIGNETS D'ESTURGEON FUMÉ ET DE SAUMON AU BEURRE BLANC PARFUMÉ À L'ÉRABLE

INGRÉDIENTS

4 morceaux de saumon d'Atlantique frais de 100 g chacun
4 filets d'esturgeon fumé de 100 g chacun
Sel et poivre
4 feuilles de nori ou de vigne
Huile
Persil

Pâte à beignets

1 jaune d'œuf
1 pincée de sel
5 ml de sucre à glacer
100 ml d'huile végétale
125 ml de beurre
125 g de levure
2 blancs d'œufs en neige

Beurre blanc

100 ml de vin blanc
50 ml de sirop d'érable
1 échalote grise, émincée
100 g de beurre

PRÉPARATION

Pâte à beignets

Mélanger tous les ingrédients, à l'exception des blancs d'œufs, qu'il faut monter en neige et incorporer à la pâte à la toute fin. Réserver. Introduire un morceau de saumon à l'intérieur de chaque filet d'esturgeon fumé. Saler et poivrer. Rouler dans les feuilles de nori ou de vigne. Plonger dans la pâte à beignets et frire en huile profonde.

Beurre blanc

Réduire le vin et le sirop de moitié par évaporation et y incorporer l'échalote. Ajouter au beurre et monter en fouettant. Disposer les beignets dans chaque assiette et verser le beurre blanc. Décorer de persil. Servir.

GLACE À L'ÉRABLE ET SES DIAMANTS, COMPOTE DE RHUBARBE ROUGE

INGRÉDIENTS

250 ml de sirop d'érable
500 ml de lait
50 g de sucre blanc, granulé
6 jaunes d'œufs
15 ml de mascarpone
160 ml de compote de rhubarbe rouge
100 ml de sucre d'érable dur, concassé

PRÉPARATION

Réduire le sirop d'érable de moitié par évaporation. Chauffer le lait. Réserver. Mélanger le sucre, les jaunes d'œufs et le sirop d'érable réduit et y ajouter le lait. Faire cuire jusqu'à consistance d'une crème. Laisser refroidir. Ajouter le mascarpone. Turbiner à la sorbetière pour en faire une glace. Mettre la compote de rhubarbe dans quatre assiettes. Faire des quenelles de glace et les disposer sur la compote. Saupoudrer de diamants de sucre d'érable dur.

TATIN DE POMMES ET SON SIROP D'ÉRABLE

INGRÉDIENTS

500 ml de sirop d'érable
100 ml de jus de pomme
4 pommes
4 abaisses de pâte feuilletée

PRÉPARATION

Par évaporation, réduire le sirop d'érable en caramel. Arrêter la cuisson en ajoutant le jus de pomme. Verser une petite quantité de ce mélange dans quatre petits moules à tartelettes de 10 cm. Émincer les pommes et les disposer en forme de rosace dans chaque petit moule. Couvrir chacun d'une abaisse. Cuire 20 minutes, à 200 °C. Renverser dans quatre assiettes et couvrir avec le reste du mélange de sirop et de jus. Servir.

Appendice

NOTES SUR LE DRAPEAU CANADIEN

Le lecteur, surtout s'il est étranger, sera peut-être étonné de constater que nous n'avons fait aucune allusion à la feuille d'érable qui orne le drapeau du Canada. Mais il ne s'agit pas d'une omission. En réalité, cette feuille n'est pas celle de l'érable à sucre.

De tout temps, les Québécois ont vénéré l'érable à sucre. À maintes reprises, des leaders d'opinion ont fait campagne pour faire en sorte que la feuille de l'érable à sucre devienne notre emblème national. Et cette idée a refait surface quand on a voulu doter le Canada d'un drapeau national en remplacement de l'*Union Jack*, le drapeau anglais qui a longtemps flotté au-dessus de nos têtes. Mais elle rencontra tellement d'opposition que le gouvernement canadien adopta finalement un drapeau unifolié, dont la feuille est une feuille d'érable stylisée représentant non seulement l'érable à sucre, mais aussi tous les autres érables qui croissent au Canada.

REMERCIEMENTS

L'auteur remercie chaleureusement les nombreuses personnes qui ont collaboré de près ou de loin à la réalisation de ce livre, tout particulièrement au président-directeur général de la Bibliothèque nationale du Québec à Montréal et à son équipe qui, d'un ouvrage à l'autre, lui apportent une aide précieuse.

Il veut aussi souligner la collaboration tant appréciée de M. Claude Lussier, secrétaire général de la Fédération des producteurs acéricoles du Québec, qui lui a fourni des statistiques indispensables sur l'industrie de l'acériculture; de Mme Claire Bergeron, directrice générale du Festival de l'érable de Plessisville, qui fut son cicérone pendant ce festival; de M. Jacques Drouin, acériculteur de la région de Granby, qui l'a secondé pendant ses longues séances de photographie; de Mme Lina Lavallée de la ferme Belle-Vallée, pour la recette de tarte au sirop d'érable décrite à la partie de sucre; de M. Donald Lapierre, de Saint-Ludger, comté de Beauce, acériculteur et fabricant de matériel d'acériculture; de M. Robert Savoie, de la Société historique de Drummondville pour ses informations sur la potasse; de Mme Réjeanne Pouliot et de M. Alain Parthenais pour leurs renseignements sur l'érable piqué; de Mme Suzanne Morin, du Musée McCord; de M. Éric Lessard, de la coopérative Citadelle; de M. Claude Legault, du Jardin botanique de Montréal qui lui a apporté des précisions d'ordre biologique; de Mme Johanne Belle-Isle, de Tourisme Québec, qui lui a prêté assistance; et de M. Marcel Pepin, pour ses explications à propos du colorimètre.

BIBLIOGRAPHIE

L'auteur a puisé les informations contenues dans ce livre à diverses sources dont voici les principales. Pour la partie historique de ce volume, il a consulté les *Relations* des Jésuites, cette source inépuisable d'informations détaillées sur la vie quotidienne aux premiers jours de la colonie française en Amérique. Il a relu les récits de Pierre Boucher et du baron de La Hontan, deux fins observateurs. Puis il a consulté les *Mélanges historiques* de Benjamin Sulte, qui sont des études éparses et inédites de cet historien. Il a ensuite lu *Les moules du Québec*, bulletin no. 188 du Musée national du Canada, par Robert-Lionel Séguin, de même que *Le sucre du pays*, par Jean-Claude Dupont, publié chez Leméac, et *C'était le printemps*, de Jean Provencher et Johanne Blanchet, aux Éditions Boréal Express.

Pour la partie exploitation de l'érable, l'auteur a étudié tous les livres traitant de l'érable et de l'acériculture que la Bibliothèque nationale du Québec, rue Saint-Denis, à Montréal, a en main et dont on fera grâce au lecteur puisque leur seule nomenclature fait 14 pages. Enfin, il a trouvé dans *Géographes*, no. 6, mars 1995, un ouvrage publié par l'Association professionnelle des géographes du Québec et la Société des professeurs de géographie du Québec, des statistiques importantes sur la production acéricole actuelle.

Quant aux détails scientifiques, ils ont été puisés en bonne partie dans *L'Érable à sucre, caractéristiques, écologie et aménagement*, une publication conjointe du Service canadien des forêts, du ministère québécois des Resources naturelles et du ministère québécois de l'Agriculture, des Pêcheries et de l'Alimentation.

TABLE DES MATIÈRES